구문독해로 **4**주 안에 **1**등급 만드는 **생**존 필살기

KB177724

구사일생 Book2

지은이 김상근
펴낸이 임상진
펴낸곳 (주)넥서스

출판신고 1992년 4월 3일 제311-2002-2호 ①
10880 경기도 파주시 지목로 5
Tel (02)330-5500 Fax (02)330-5555
ISBN 979-11-6165-134-7 (54740)
ISBN 979-11-6165-141-5 (SET)

출판사의 허락 없이 내용의 일부를
인용하거나 발췌하는 것을 금합니다.

가격은 뒤표지에 있습니다.
잘못 만들어진 책은 구입처에서 바꾸어 드립니다.

www.nexusbook.com

구 문독해로
4 주 안에
1 등급 만드는
생 존 필살기

김상근 지음

구사
일생

Book
2

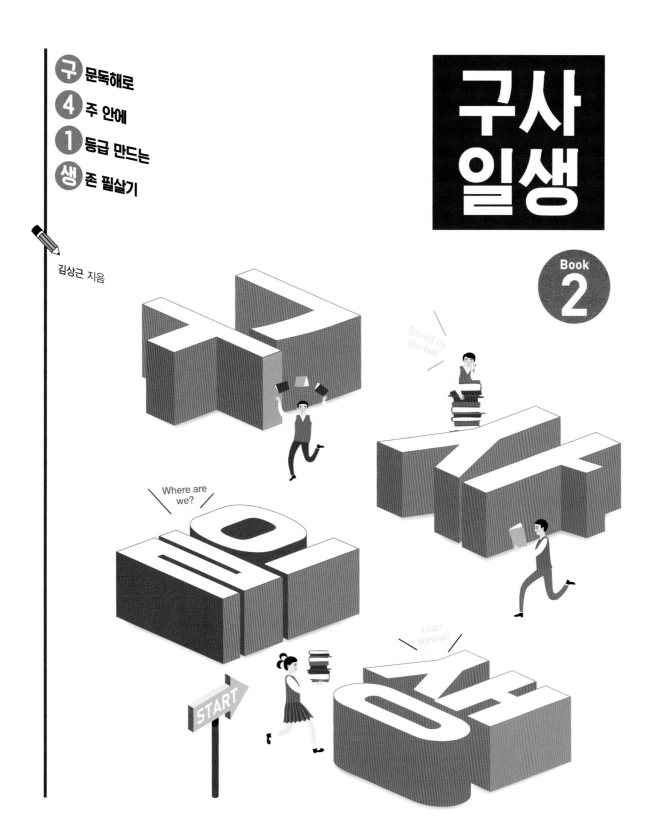

Saved by the bell

Where are we?

START

I can survive!

NEXUS Edu

"Saved by the bell"

머리말

안녕하세요 smart 상근샘입니다. 10년이라는 교직생활과 EBS와 강남구청인터넷 수능방송에서 영어강의를 하는 동안 많은 강의를 진행하고 많은 학생들을 가르쳐왔습니다. 그러면서 느낀 것은 역시 "영어는 기본기가 우선이다"라는 대명제였습니다.

아시다시피 우리나라의 대입시험인 수능에서 영어는 절대평가로 치루어집니다. 〈절대평가 = 쉬운 시험〉이라는 선입견이 있는데, 결코 그렇지 않습니다. 아주 어려운 고난도 수준의 문제가 출제되지 않을 뿐, 전체적인 영어시험의 난이도는 생각보다 쉽지 않습니다. 특히나 많은 학생들이 기본기에 기대기보다는 문제를 푸는 스킬(skill)에 의존해서 문제를 풀다 보니, 조금만이라도 어려운 구문이나 긴 문장이 나오면 이해하기 힘든 경우가 많습니다. "영어의 기본은 어휘와 구문입니다." 이를 제대로 익히지 않은 채 문제 푸는 기술에만 의존하게 된다면 영어는 결코 자신의 것이 되지 않습니다.

많은 독해집과 구문책을 집필해왔지만, 이번만큼은 기본기에 초점을 맞춘 책을 쓰고자 많은 조사와 구문을 분석했습니다. 시험에 가장 많이 나오는 문항을 선별했고, 이를 간단명료하게 중요한 핵심만을 간추렸습니다. 150개의 유형을 통해서 시험에 많이 나오는 어법 유형과 구문을 익힐 수 있습니다.

각 권당 4주의 시간만 투자해 보세요. 달라지는 여러분의 영어기본기의 탄탄함을 경험할 수 있을 것입니다.

저자 김상근

구성과 특징

어휘를 알면 구문이 보인다!

포인트 3개씩을 묶어 독해의 기본이 되는
어휘를 확인, 숙지한 후에 구문독해 기본기를
어휘부터 다질 수 있도록 구성하였습니다.

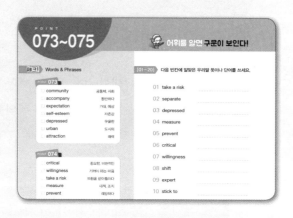

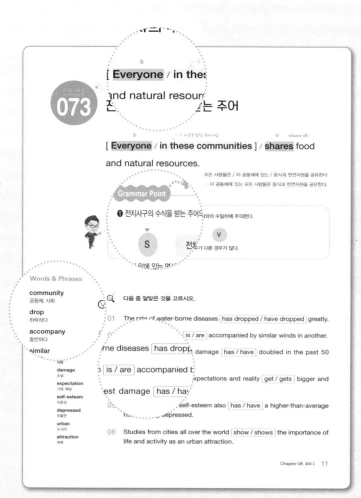

Key Sentence

시험 기출 지문을 토대로 엄선한 문장으로
핵심 구문을 수록했습니다.
문장 구조 분석을 통해 독해의 기본 실력을
탄탄하게 쌓아갈 수 있도록 구성하였습니다.

Grammar Point

시험에 자주 등장하는 핵심 구문에서 뽑은
핵심 문법을 이해하기 쉽고, 암기하기 쉽게
정리하였습니다.

Practice

기출 지문에서 엄선한 문장으로 만든
문제풀이를 통해 앞에서 배운 핵심 구문의
활용 및 어법의 기초를 다질 수 있습니다.

Words & Phrases

핵심 구문을 암기하기 쉽도록 기출 어휘를 제시하여
자연스럽게 기억할 수 있도록 구성하였습니다.

끊어 읽으면 답이 보인다!

각각의 핵심 구문 포인트가 끝나면 다시 한 번 빈칸 문제풀이를 통해 기출 문장을 복습할 수 있도록 구성하였습니다. 끊어읽기 훈련 및 문장 분석을 통해 독해의 기본기를 탄탄하게 쌓을 수 있습니다.

Point & Chapter Review

중간 복습 및 챕터별 복습 단계로, 핵심 구문 포인트가 끝나면 통합 문제풀이를 통해 앞에서 배운 내용을 자연스럽게 숙지할 수 있도록 훈련할 수 있습니다.

정답 및 해설

Point Review 및 Chapter Review의 문장을 직독직해 뿐만 아니라 문장 분석까지 자세하게 제공합니다. 자기주도학습을 할 수 있도록 현직 교사이신 상근샘의 친절한 해설을 담았습니다.

추가 제공 자료 (www.nexusbook.com)

어휘 리스트
& 테스트지

통문장 영작
테스트지

통문장 해석
테스트지

동사 · 비교급 변화표
& 테스트지

문법
용어집

모바일단어장
VOCA TEST

목차

Book 1 목차

Monthly Planner

First Week

		1st	2nd	3rd	4th	5th	6th	7th
First Week	Book 1	Point 001~003 ☐ ☐ ☐ ☐	Point 004~006 ☐ ☐ ☐ ☐	Point 007~009 ☐ ☐ ☐ ☐	Point 010~012 ☐ ☐ ☐ ☐	Chapter Review ☐ ☐ ☐ ☐	Point 013~015 ☐ ☐ ☐ ☐	Point 016~018 / Chapter Review ☐ ☐ ☐ ☐
	Book 2	Point 073~075 ☐ ☐ ☐ ☐	Point 076~078 ☐ ☐ ☐ ☐	Point 079~081 ☐ ☐ ☐ ☐	Chapter Review ☐ ☐ ☐ ☐	Point 082~084 ☐ ☐ ☐ ☐	Point 085~087 ☐ ☐ ☐ ☐	Chapter Review ☐ ☐ ☐ ☐

Second Week

		1st	2nd	3rd	4th	5th	6th	7th
Second Week	Book 1	Point 019~021 ☐ ☐ ☐ ☐	Point 022~024 ☐ ☐ ☐ ☐	Point 025~027 ☐ ☐ ☐ ☐	Chapter Review ☐ ☐ ☐ ☐	Point 028~030 ☐ ☐ ☐ ☐	Point 031~033 ☐ ☐ ☐ ☐	Point 034~036 / Chapter Review ☐ ☐ ☐ ☐
	Book 2	Point 088~090 ☐ ☐ ☐ ☐	Point 091~093 / Chapter Review ☐ ☐ ☐ ☐	Point 094~096 ☐ ☐ ☐ ☐	Point 097~099 ☐ ☐ ☐ ☐	Point 100~102 ☐ ☐ ☐ ☐	Point 103~105 ☐ ☐ ☐ ☐	Point 106~108 / Chapter Review ☐ ☐ ☐ ☐

Third Week

		1st	2nd	3rd	4th	5th	6th	7th
Third Week	Book 1	Point 037~039 ☐ ☐ ☐ ☐	Point 040~042 ☐ ☐ ☐ ☐	Point 043~045 ☐ ☐ ☐ ☐	Point 046~048 ☐ ☐ ☐ ☐	Point 049~051 ☐ ☐ ☐ ☐	Chapter Review ☐ ☐ ☐ ☐	Point 052~054 ☐ ☐ ☐ ☐
	Book 2	Point 109~111 ☐ ☐ ☐ ☐	Point 112~114 ☐ ☐ ☐ ☐	Point 115~117 / Chapter Review ☐ ☐ ☐ ☐	Point 118~120 ☐ ☐ ☐ ☐	Point 121~123 / Chapter Review ☐ ☐ ☐ ☐	Point 124~126 ☐ ☐ ☐ ☐	Point 127~129 ☐ ☐ ☐ ☐

Fourth Week

		1st	2nd	3rd	4th	5th	6th	7th
Fourth Week	Book 1	Point 055~057 ☐ ☐ ☐ ☐	Point 058~060 ☐ ☐ ☐ ☐	Chapter Review ☐ ☐ ☐ ☐	Point 061~063 ☐ ☐ ☐ ☐	Point 064~066 ☐ ☐ ☐ ☐	Point 067~069 ☐ ☐ ☐ ☐	Point 070~072 / Chapter Review ☐ ☐ ☐ ☐
	Book 2	Point 130~132 / Chapter Review ☐ ☐ ☐	Point 133~135 ☐ ☐ ☐	Point 136~138 ☐ ☐ ☐	Point 139~141 ☐ ☐ ☐	Point 142~144 ☐ ☐ ☐	Point 145~147 ☐ ☐ ☐	Point 148~150 / Chapter Review ☐ ☐ ☐

주어 2

Subjects

어휘를 알면 **구문이 보인다!**

체크! Words & Phrases

POINT 073

☐ community	공동체, 사회
☐ accompany	동반하다
☐ expectation	기대, 예상
☐ self-esteem	자존감
☐ depressed	우울한
☐ urban	도시의
☐ attraction	매력

POINT 074

☐ critical	중요한, 비판적인
☐ willingness	기꺼이 하는 마음
☐ take a risk	모험을 받아들이다
☐ measure	대책, 조치
☐ prevent	예방하다
☐ express	표현하다
☐ identify	식별하다
☐ stick to	고수하다

POINT 075

☐ separate	분리하다
☐ frequently	빈번히
☐ shift	바꾸다
☐ expert	전문가
☐ rare	드문
☐ case	경우, 사례
☐ day-to-day	매일 행해지는, 그날그날의
☐ self-discipline	수양
☐ patience	인내
☐ responsibility	책임

[01 – 20] 다음 빈칸에 알맞은 우리말 뜻이나 단어를 쓰시오.

01 take a risk _____

02 separate _____

03 depressed _____

04 measure _____

05 prevent _____

06 critical _____

07 willingness _____

08 shift _____

09 expert _____

10 stick to _____

11 인내 _____

12 표현하다 _____

13 드문 _____

14 빈번히 _____

15 책임 _____

16 기대, 예상 _____

17 동반하다 _____

18 도시의 _____

19 식별하다 _____

20 자존감 _____

★모르는 단어에 체크하고, 소리 내어 10번만 뜻과 함께 말해 보세요.

전치사구의 수식을 받는 주어

S   → 이것은 함정, 주어 아님   V ┌ share (X)

[**Everyone** / in these communities] / **shares** food

and natural resources.

모든 사람들은 / 이 공동체에 있는 / 음식과 천연자원을 공유한다
⋯→ 이 공동체에 있는 모든 사람들은 음식과 천연자원을 공유한다.

Grammar Point

❶ 전치사구의 수식을 받는 주어의 경우 동사와의 수일치에 주의한다.

S   전치사구   V

❷ 동사 앞에 있는 명사의 수와 주어의 수가 다른 경우가 많다.

Words & Phrases

community
공동체, 사회

drop
하락하다

accompany
동반하다

similar
유사한

crop
작물

pest
해충

damage
손실

expectation
기대, 예상

self-esteem
자존감

depressed
우울한

urban
도시의

attraction
매력

다음 중 알맞은 것을 고르시오.

01 The rate of water-borne diseases has dropped / have dropped greatly.

02 Winds in one region is / are accompanied by similar winds in another.

03 Crop losses from pest damage has / have doubled in the past 50 years.

04 The gap between our expectations and reality get / gets bigger and bigger.

05 Students with low self-esteem also has / have a higher-than-average risk of being depressed.

06 Studies from cities all over the world show / shows the importance of life and activity as an urban attraction.

[01 – 06] 빈칸에 알맞은 말을 넣으시오.

01
    S   ┌ 전치사구 수식   V
[The rate of water-borne diseases] / _____ dropped greatly.

물에 의한 질병의 비율이 / 상당히 떨어졌다

해석 물에 의한 질병의 비율이 상당히 떨어졌다.

해설 The rate가 전치사구인 of water-borne diseases의 수식을 받고 있다. 주어가 단수이므로 단수 동사 has가 적절하다.

02
    S   ┌ 함정   V
[Winds / in one region] / _____ accompanied / by similar winds / in another.

바람들은 / 한 지역에서의 / 동반된다 / 비슷한 바람들에 의해서 / 또 다른 지역의

해석 한 지역의 바람들은 또 다른 지역의 비슷한 바람들에 의해 동반된다.

해설 Winds가 전치사구인 in one region의 수식을 받고 있다. 주어는 winds이므로 복수 동사인 are가 적절하다.

03
    S   ┌ 함정   V
[Crop losses / from pest damage] / _____ doubled / in the past 50 years.

작물 손실량은 / 해충 피해로부터 / 두 배가 늘었다 / 지난 50년 동안

해석 해충 피해로부터 발생한 작물 손실량은 지난 50년 동안 두 배가 늘었다.

해설 Crop losses가 주어로 전치사구 from pest damage의 수식을 받고 있다. 동사 앞에 있는 damage는 함정이다. 따라서 주어가 복수이므로 복수 동사인 have가 적절하다.

04
    S   ┌ 함정   V ┌ get+비교급: 점점 더 ~ 해지다
[The gap / between our expectations and reality] _____ bigger and bigger.

차이는 / 우리 기대와 현실 사이에 있는 / 점점 더 커진다.

해석 우리 기대와 현실 사이의 차이는 점점 커진다.

해설 주어는 The gap으로 전치사구 between ~ reality의 수식을 받고 있다. 따라서 단수 동사인 gets가 적절하다.

05
    S   ┌ 함정   V
[Students / with low self-esteem] / also _____ a higher-than-average risk / of being depressed. 학생들은 / 낮은 자신감을 가진 / 또한 평균 이상의 위험성을 가진다 / 우울해지는 것의

해석 자신감이 낮은 학생들은 우울해질 수 있는 위험성이 평균 이상이다.

해설 주어는 Students이며, 전치사구 with low self-esteem의 수식을 받고 있다. 따라서 복수 동사 have가 적절하다.

06
    S   ┌ 함정   V
[Studies / from cities all over the world] / _____ the importance / of life and activity / as an urban attraction. 연구들은 / 전 세계의 도시로부터의 / 중요성을 보여준다 / 삶과 활동의 / 도시의 매력으로서

해석 전 세계의 도시로부터의 연구는 도시의 매력으로서의 삶과 활동의 중요성을 보여준다.

해설 주어는 Studies이며, 전치사구 from cities all over the world의 수식을 받고 있다. 따라서 복수 동사인 show가 적절하다.

POINT 074 to부정사의 수식을 받는 주어

S   주어인 the ability 수식 to부정사   V are (X)

[**The ability** / to stay with your true goals] / **is** a

critical skill / for success.

이것은 함정, 주어 아님

그 능력은 / 당신의 진정한 목적과 함께 하는 / 중요한 능력이다 / 성공을 위한

···→ 진정한 목표와 함께 하는 능력은 성공을 위한 중요한 능력이다.

Grammar Point

❶ to부정사가 주어를 수식하는 경우, 동사와의 수일치에 주의한다.

    S   to부정사   V

❷ 주어가 길어질 경우, 핵심은 주어와 동사를 찾는 것이다.

Words & Phrases

critical
중요한, 비판적인

willingness
기꺼이 하는 마음

take a risk
모험을 받아들이다

measure
대책, 조치

prevent
예방하다

lab(=laboratory)
실험실

express
표현하다

identify
식별하다

upset
화나게 하다

decision
결정

stick to
고수하다

다음 중 알맞은 것을 고르시오.

01 The willingness to take risks is / being very important in starting a new business.

02 New safety measures to prevent lab accidents demanding / are demanded at this moment.

03 While flower giving is very popular these days, the most common reason to give flowers is / are to express romantic love.

04 One way to identify your values is / are to look at what upsets you.

05 You may make some foolish spending choices, but if you do, the decision to do so is / to be your own.

06 The best way to ensure long-term happiness in these relationships is / are not to stick to your first love.

[01–06] 빈칸에 알맞은 말을 넣으시오.

01
S V
[The willingness / to take risks] / _____ very important / in starting a new business. 의지는 / 위험을 감수하겠다는 / 매우 중요하다 / 새로운 사업을 시작할 때

해석 위험을 감수하겠다는 의지는 새로운 사업을 시작할 때 매우 중요하다.

해설 주어는 The willingness이며 to take risks의 수식을 받고 있다. 따라서 단수 동사인 is가 적절하다.

02
S V
[New safety measures / to prevent lab accidents] / _____ demanded / at this moment. 새로운 안전 대책 / 실험실 사고를 예방하기 위한 / 필요하다 / 지금

해석 실험실 사고를 예방하기 위한 새로운 안전 대책이 지금 필요하다.

해설 주어는 New safety measures이며, to prevent의 수식을 받고 있다. 따라서 복수 동사인 are가 적절하다.

03
S
While flower giving / is very popular these days, / [the most common reason / to give flowers] / _____ to express romantic love.
꽃을 주는 것은 / 요즘에는 매우 대중적이며 / 가장 일반적인 이유는 / 꽃을 주는 / 로맨틱한 사랑을 표현하는 것이다

해석 꽃을 주는 것은 요즘에는 매우 대중적이며, 꽃을 주는 가장 일반적인 이유는 로맨틱한 사랑을 표현하는 것이다.

해설 주어는 the most common reason이며 to give flowers의 수식을 받고 있다. 따라서 단수 동사 is가 적절하다.

04
S V
[One way / to identify your values] / _____ to look at / what upsets you.
한 가지 방식은 / 당신의 가치를 식별하는 / 보는 것이다 / 당신을 화나게 하는 것을

해석 당신의 가치를 식별하는 한 가지 방식은 당신을 화나게 하는 것을 보는 것이다.

해설 주어는 One way이며 to identify your values의 수식을 받고 있다. 따라서 단수 동사인 is가 적절하다.

05
S
You may make / some foolish spending choices, / but if you do, / [the decision / to do so] / _____ your own.
당신은 만들 수도 있다 / 몇 가지 어리석은 소비 선택을 / 하지만 만약 당신이 한다면 / 그 결정은 / 그렇게 하기로 한 / 당신의 것이다

해석 당신은 몇 가지 어리석은 소비 선택을 할 수도 있다. 하지만 당신이 그것을 한다면, 그렇게 하기로 한 결정은 당신의 것이다.

해설 주어는 the decision이며 to do so의 수식을 받고 있다. 따라서 본동사가 필요하므로 단수 동사 is가 적절하다.

06
S 함정 V
[The best way / to ensure long-term happiness / in these relationships] / _____ not to stick to / your first love. 최고의 방법은 / 장기간의 행복을 확신하는 / 이러한 관계에서 / 고수하지 않는 것이다 / 당신의 첫사랑을

해석 이러한 관계 속에서 오랜 기간의 행복을 확신하는 최고의 방법은 당신의 첫사랑을 고수하지 않는 것이다.

해설 주어는 The best way이며 to ensure ~ relationships의 수식을 받고 있다. 따라서 단수 동사인 is가 적절하다.

삽입구 / 절의 수식을 받는 주어

S
V is (X)

[**Our reactions** / to life, particularly stress,] / **are**

이것은 함정, 주어 아님

fairly easy / to guess.

우리의 반응은 / 삶에 대한 / 특히 스트레스 / 꽤 쉽다 / 추측하기가

⋯ 삶, 특히 스트레스에 대한 반응은 추측하기가 꽤 쉽다.

Grammar Point

❶ 주어 뒤에는 삽입절/구가 와서 수식을 하는 경우가 있는데, 주어부가 길어지므로 주어–동사의
수일치/본동사 여부에 주의한다.

S　　　　삽입절/구　　　　V

❷ 동사 앞에 있는 단어와 주어와의 수가 다를 경우 동사와의 수일치에 주의한다.

Words & Phrases

separate
분리하다

frequently
빈번히

shift
바꾸다

expert
전문가

rare
드문

case
경우, 사례

day-to-day
매일 행해지는, 그날그날의

self-discipline
수양

patience
인내

responsibility
책임

🔍 다음 중 알맞은 것을 고르시오.

01 Germany, which spent $20 billion less than the USA, took / taking third place among the world's top international tourism spenders.

02 The Rio Grande, separating the United States and Mexico, has / have frequently shifted its course.

03 The tornado, according to all weather experts in these areas, was / were a very rare case in New England.

04 The day-to-day practice in music, along with setting goals and reaching them, develop / develops self-discipline, patience, and responsibility.

05 The caravan, which has two to six beds, is / are useful for many families to travel from place to place on holidays.

[01-05] 빈칸에 알맞은 말을 넣으시오.

01
　　　　　S　　　　　┌ 삽입　　　　　　　　　　　　　　　　　　　　　V
[Germany, / which spent $20 billion less / than the USA,] / _____ third place /
among the world's top international tourism spenders.

독일은 / 200억 달러를 덜 소비한 / 미국보다 / 3위를 차지했다 / 세계 최상위 국제 관광 소비 국가 중에

해석 미국보다 200억 달러를 덜 소비한 독일은 세계 최상위 국제 관광 소비 국가 중에 3위를 차지했다.

해설 주어는 Germany이며 관계사절인 which ~ USA가 주어와 동사 사이에 삽입되어 있으므로 본동사인 took이 적절하다.

02
　　　　　　S　　　　　　┌ 삽입　　　　　　　　　　　　　　　　　　　V
[The Rio Grande, / separating the United States and Mexico,] / _____ frequently
shifted its course. 리오그란데 강은 / 미국과 멕시코를 분리하는 / 빈번히 그 경로를 바꿔 왔다

해석 미국과 멕시코를 분리하는 리오그란데 강은 그 경로를 빈번히 바꿔 왔다.

해설 주어는 The Rio Grande이며 separating ~ Mexico가 주어와 동사 사이에 삽입된 형태이다. 주어가 단수이므로 단수
동사인 has가 적절하다.

03
　　　　　　S　　　　　┌ 삽입　　　　　　　　　　　　　　　　　　　V
[The tornado, / according to all weather experts / in these areas,] / _____ a very
rare case / in New England. 그 토네이도는 / 모든 날씨 전문가들에 따르면 / 이 지역의 / 매우 드문 경우였다 / 뉴잉글랜드에서는

해석 이 지역의 모든 날씨 전문가들에 따르면 그 토네이도는 뉴잉글랜드 지역에서 매우 드문 경우였다.

해설 주어는 The tornado이며 according ~ areas가 주어와 동사 사이에 삽입된 형태이다. 동사 앞에 있는 areas는 함정이
다. 주어가 단수이므로 단수 동사 was가 적절하다.

04
　　　　　　　　S　　　　　　　　┌ 삽입
[The day-to-day practice / in music, / along with setting goals / and reaching them,] /
_____ self-discipline, patience, and responsibility.

매일의 연습 / 음악에서의 / 목표를 세우는 것과 함께 / 그리고 그것들에 도달하면서 / 자기 수양, 인내, 그리고 책임감을 발전시킨다.

해석 음악에서 목표를 세우고 그 목표에 도달하면서 하는 매일의 연습은 자기 수양과 인내, 그리고 책임감을 발전시킨다.

해설 주어는 The day-to-day practice로 뒤에 전치사구와 along ~ them의 삽입구가 이어진다. 주어가 단수이므로 동사는
단수 동사인 develops가 적절하다.

05
　　　　　　S　　　　　┌ 삽입　　　　　　　　　　V　　　　　　┌ 의미상의 주어
[The caravan, / which has two to six beds,] / _____ useful / for many families / to
travel / from place to place / on holidays.

카라반(이동식 주택), / 2~6개의 침대를 갖춘 / 유용하다 / 많은 가족들이 / 여행하기에 / 여기저기로 / 휴일에

해석 2~6개의 침대가 있는 그 카라반은 많은 가족들이 휴일마다 여기저기로 여행할 때 유용하다.

해설 주어는 The caravan으로 뒤에 관계사절 which ~ beds가 삽입되어 있다. 동사 앞에 있는 beds는 함정이다. 주어가
단수이므로 단수 동사 is가 적절하다.

Point (073~075) Review

[01–10] 다음 중 알맞은 것을 고르시오.

01 Many experts in childhood development think / thinks of play as the "work of children."

02 The popularity of the diet, which suggests a banana and a glass of warm water every morning, has / have been fed by online social networks.

03 A person with a more practical view of relationships tend / tends to have more successful long-term ones.

04 Chances of one actually hitting Earth is / are very small, but scientists keep a close watch on asteroids.

05 Every other skill, including talking, eating, crawling, and walking, is / are acquired.

06 Debbi Fields, the owner of a highly successful chain of cookie stores, was / were told to stay out of the business.

07 One important reason for the financial success of fast-food chains has / have been the fact that their labor costs are low.

08 The seats with the best view of city life is / are used far more frequently than those that do not offer a view of other people.

09 Galileo, who heard about the spyglass, realizing / realized right away how useful the device could be to sailors.

10 His decision to give up having fun and study for the exam turning / turned out to be a good one.

POINT
076~078

체크! Words & Phrases

POINT 076

☐ prove	증명하다
☐ as well as	~뿐만 아니라
☐ compel	(어떤 반응을) 자아내다
☐ consumer	소비자
☐ trigger	유발하다
☐ replace	대체하다
☐ decline	거절하다
☐ associated with	~과 연관된
☐ cope with	극복하다
☐ incident	사건

POINT 077

☐ take up	차지하다
☐ compare	비교하다
☐ acquire	얻다, 배우다
☐ positive	긍정적인
☐ concentrate	집중하다
☐ criticism	비판
☐ achieve	성취하다
☐ negotiation	협상

POINT 078

☐ conversation	대화
☐ clue	실마리
☐ hang out with	~와 만나다[어울리다]
☐ force	강요하다
☐ sociable	사교적인
☐ relative	친척
☐ benefit	이익을 주다

★ 모르는 단어에 체크하고, 소리 내어 10번만 뜻과 함께 말해 보세요.

[01 - 20] 다음 빈칸에 알맞은 우리말 뜻이나 단어를 쓰시오.

01 replace _____

02 compare _____

03 force _____

04 sociable _____

05 hang out with _____

06 trigger _____

07 associated with _____

08 criticism _____

09 take up _____

10 acquire _____

11 극복하다 _____

12 사건 _____

13 이익을 주다 _____

14 (어떤 반응을)
자아내다 _____

15 ~뿐만 아니라 _____

16 실마리 _____

17 거절하다 _____

18 성취하다 _____

19 협상 _____

20 집중하다 _____

POINT 076 분사의 수식을 받는 주어

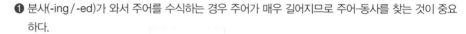

주어 수식(분사)
본동사로 혼동하지 말자

S · V ─ 본동사

[**An elephant** / named Hong] / **proved** / that

elephants are artistic / as well as smart.

코끼리는 / '홍'이라는 이름을 가진 / 증명했다 / 코끼리들은 예술적이라는 것을 / 똑똑할 뿐만 아니라

··· '홍'이라는 코끼리는 코끼리가 똑똑할 뿐만 아니라 예술적이라는 사실을 증명했다.

Grammar Point

❶ 분사(-ing/-ed)가 와서 주어를 수식하는 경우 주어가 매우 길어지므로 주어–동사를 찾는 것이 중요하다.

S -ing/-ed V

❷ 동사가 두 개 이상이 나오므로 [주어와 본동사의 수일치 / 본동사 vs. 준동사]에 주의한다.

❸ 분사의 형식 -ing vs. -ed도 주의해야 한다.

Words & Phrases

prove
증명하다

artistic
예술적인

as well as
~뿐만 아니라

compel
(어떤 반응을) 자아내다

consumer
소비자

parcel
소포

trigger
유발하다

replace
대체하다

politely
공손하게

decline
거절하다

associated with
~과 연관된

cope with
극복하다

incident
사건

Ⓥ 다음 중 알맞은 것을 고르시오.

01 A food ⌈ labeling / labeled ⌉ "free" of a food dye will compel some consumers to buy that product.

02 Everything ⌈ happening / happens ⌉ in the world today is a piece of a long line of events and lives that came before us.

03 A parcel or paper bag ⌈ leaving / left ⌉ under an empty subway seat can trigger much concern.

04 The money raised by Mother Teresa and her followers ⌈ has / have ⌉ helped needy people in 87 countries.

05 The young man replacing her at the office ⌈ has / having ⌉ politely declined her offer of a lunch date.

06 Many species closely associated with the four seasons ⌈ have / to have ⌉ to cope with higher incidents of poor weather.

끊어 읽으면 답이 보인다!

[01 – 06] 빈칸에 알맞은 말을 넣으시오.

01

S ┌─── 분사구의 주어 수식 ─── V

[A food / _____ / "free" of a food dye] / will compel / some consumers / to buy that product. 음식은 / 라벨이 붙은 / 음식 색소가 없다는 / 만들 것이다 / 일부 소비자들이 / 그 상품을 사도록

해석 음식 색소가 없다는 라벨이 붙은 음식은 일부 소비자가 그 상품을 사도록 만들 것이다.

해설 주어는 A food로 뒤에 분사구인 labeled ~ dye의 수식을 받고 있다. 뒤에 본동사 will compel이 나오므로 분사가 와야 하는데, A food와 label의 관계사 수동관계(붙여지는 것이므로)이므로 과거분사 labeled가 적절하다.

02

S ┌─── 주어를 수식하는 분사구 ─── V

[Everything / _____ in the world today] / is a piece / of a long line / of events and lives / that came before us. 모든 것들은 / 오늘날 세계에서 벌어지는 / 한 조각이다 / 긴 선의 / 사건들과 삶들의 / 우리 앞에 왔던

해석 오늘날 세계에서 벌어지는 모든 것은 우리 앞에 왔던 사건과 삶들의 긴 선상에서의 한 조각이다.

해설 주어는 everything으로 뒤에 오는 분사구의 수식을 받는다. 해석상 능동 분사인 happening이 와야 한다.

03

S ┌──────── V

[A parcel or paper bag / _____ / under an empty subway seat] / can trigger much concern. 소포나 종이봉투는 / 남겨진 / 비어 있는 지하철 좌석 아래에 / 많은 염려를 유발할 수 있다

해석 빈 지하철 좌석 아래 남겨진 소포나 종이봉투는 큰 염려를 유발할 수 있다.

해설 주어는 A parcel or paper bag로 뒤에 오는 분사구의 수식을 받고 있다. 해석상 수동의 뜻(남겨진)으로 leave의 과거분사인 left가 적절하다.

04

S ┌──── 함정 V

[The money / raised / by Mother Teresa and her followers] / _____ helped needy people / in 87 countries. 돈은 / 모금된 / 테레사 수녀와 그녀의 추종자들에 의해 / 어려운 사람들을 도와왔다 / 87개국에서

해석 테레사 수녀와 그녀의 추종자들이 모은 돈은 87개국의 어려운 사람들을 도와왔다.

해설 주어는 The money로 분사구인 raised ~ followers의 수식을 받고 있다. 동사 앞의 followers는 함정이다. 주어가 단수이므로 단수 동사인 has가 적절하다.

05

S ┌──────── V

[The young man / replacing her at the office] / _____ politely declined / her offer of a lunch date. 그 젊은 남자는 / 사무실에서 그녀를 대체하는 / 공손하게 거절했다 / 점심을 같이 먹자는 그녀의 제안을

해석 사무실에서 그녀를 대체하는 젊은 남자는 점심을 같이 먹자는 그녀의 제안을 공손하게 거절했다.

해설 주어는 The young man으로 분사구인 replacing ~ office의 수식을 받고 있다. 본동사가 필요하므로 has가 적절하다.

06

S ┌──────── V

[Many species / closely associated with the four seasons] / _____ to cope with / higher incidents of poor weather. 많은 종들은 / 사계절과 밀접하게 연관된 / 대처해야만 한다 / 악천후로 인한 일들을

해석 사계절과 밀접하게 연관이 있는 많은 종들은 악천후로 인해 발생하는 일들에 대처해야 한다.

해설 주어는 Many species로 분사구 closely ~ seasons의 수식을 받고 있다. 본동사가 필요하므로 have가 적절하다.

POINT 077 관계사의 수식을 받는 주어

S →

⋯→ 주어 수식 관계사절 →주어가 매우 길어진다

Items / that have been stored / in your house / for

V is (X)

more than a year / **are** merely taking up space.

물건들은 / 저장되어 왔던 / 당신의 집에 / 1년 이상 동안 / 단지 자리를 차지하고 있다

⋯→ 1년 이상 당신의 집에 저장된 물건들은 단순히 자리만 차지하고 있는 것이다.

Grammar Point

❶ 관계사절이 주어를 수식하는 경우, 주어와 동사의 거리가 매우 길어지므로 주어와 동사를 찾는 것이 중요하다.

$$ S \qquad who/which/that\ 관계사절 \qquad V $$

❷ 동사가 두 개 이상이 나오므로 [주어와 본동사의 수일치 / 본동사 vs. 준동사]에 주의한다.

Words & Phrases

store
저장하다

take up
차지하다

oxygen
산소

compare
비교하다

acquire
얻다, 배우다

positive
긍정적인

concentrate
집중하다

criticism
비판

employee
근로자

expectation
기대

achieve
성취하다

negotiation
협상

🔍 다음 중 알맞은 것을 고르시오.

01 Animals that live in water [get / gets] their oxygen from the water.

02 The person who compares himself to others [live / lives] in a state of fear.

03 Students who successfully acquire one positive habit [get / gets] less stress.

04 A brain that is fully fueled [to concentrate / concentrates] better and solves problems faster.

05 The anger that criticism causes [upset / upsets] employees, family members, and friends.

06 People who set high expectations for themselves [tend / tending] to achieve more in a negotiation.

[01 – 06] 빈칸에 알맞은 말을 넣으시오.

01

S   V

[Animals / that live in water] / _____ their oxygen / from the water.

동물들은 / 물속에 사는 / 그들의 산소를 얻는다 / 물에서부터

해석 물속에서 사는 동물들은 물로부터 산소를 얻는다.

해설 주어는 Animals로 관계사절 that live in water의 수식을 받고 있다. 동사 앞에 있는 water는 함정이다. 주어가 복수이 므로 복수 동사인 get이 적절하다.

02

S   V

[The person / who compares himself / to others] / _____ / in a state of fear.

사람은 / 자신을 비교하는 / 다른 사람들과 / 산다 / 공포의 상태에서

해석 자기 자신을 남들과 비교하는 사람은 공포의 상태에서 살아간다.

해설 주어는 The person이며 관계사절 who compares himself to others의 수식을 받고 있다. 동사 앞의 others는 함정이 다. 주어가 단수이므로 단수 동사인 lives가 적절하다.

03

S   V

[Students / who successfully acquire one positive habit] / _____ less stress.

학생들은 / 한 가지 긍정적인 습관을 성공적으로 습득한 / 더 적은 스트레스를 받는다

해석 한 가지 긍정적인 습관을 성공적으로 습득한 학생들은 더 적은 스트레스를 받는다.

해설 주어는 Students로 관계사절 who ~ habit의 수식을 받고 있다. 동사 앞의 habit는 함정이다. 주어가 복수이므로 복수 동사인 get이 적절하다.

04

S   V

[A brain / that is fully fueled] / _____ better and / solves problems faster.

두뇌는 / 연료로 가득 차 있는 / 더 잘 집중하며 / 문제를 더 빠르게 해결한다

해석 연료로 가득 차 있는 두뇌는 더 잘 집중하며 더 빠르게 문제를 해결한다.

해설 주어는 A brain으로 관계사절 that is fully fueled의 수식을 받고 있다. 본동사가 필요하므로 concentrates가 적절하다.

05

S   V

[The anger / that criticism causes] / _____ employees, family members, and friends. 분노는 / 비판이 유발하는 / 직원과 가족, 그리고 친구들을 화나게 한다

해석 비판이 유발하는 분노는 직원과 가족, 그리고 친구들을 화나게 한다.

해설 주어는 The anger이며, 관계사 that절의 수식을 받고 있다. 주어가 단수이므로 단수 동사인 upsets가 적절하다.

06

S   V

[People / who set high expectations / for themselves] / _____ to achieve / more in a negotiation. 사람들은 / 높은 기대를 가지는 / 자신들에 대해서 / 얻는 경향이 있다 / 협상에서 더 많이

해석 자기 자신에 대해서 높은 기대감을 가지고 있는 사람들은 협상에서 더 많은 것을 얻는 경향이 있다.

해설 주어는 People이며 관계사절 who set high expectations for themselves의 수식을 받고 있다. 본동사가 필요하므로 tend가 적절하다.

POINT 078 [주어+동사]의 수식을 받는 주어

S   s'   v'   V

[**People** / you are talking to] / **will** enjoy the

whom / that 생략   people   the conversation

conversation more / if they see / you are enjoying it.

사람들은 / 당신이 말을 하는 / 대화를 더욱 즐길 것이다 / 만약 그들이 알고 있다면 / 당신이 그것을 즐기고 있다는 것을
··· 당신과 대화하는 사람들은 당신이 그 대화를 즐긴다는 것을 알게 된다면 더욱 그 대화를 즐기게 될 것이다.

Grammar Point

❶ 주어를 수식하는 관계사절의 관계사가 생략된 경우 [주어+동사]가 수식하므로 [주어-본동사]를 찾는 것이 중요하다.

S   S´+V´   V

❷ 동사가 두 개 이상 나오므로 [주어와 본동사의 수일치 / 본동사 vs. 준동사]에 주의한다.

다음 중 알맞은 것을 고르시오.

01 Any activity you do has / have some risk or chance of injury.

02 Scenes a child acts out give / giving us clues about his or her past experiences.

03 The friends a person chooses when in school make / makes a lot of difference in his or her future.

04 The only reason she hangs out with you is / are because you never try to force her to be sociable.

05 The person you meet has / having a friend or relative who can benefit you.

06 The new song they just downloaded on their cell phones give / gives them a common topic to talk about.

Words & Phrases

conversation
대화

activity
활동

injury
부상

clue
실마리

hang out with
~와 만나다[어울리다]

force
강요하다

sociable
사교적인

relative
친척

benefit
이익을 주다

[01 – 06] 빈칸에 알맞은 말을 넣으시오.

01

S ┌── which/that 생략(s'+v') ── V

[Any activity / you do] / _____ some risk or chance / of injury.
어떤 활동이든지 / 당신이 하는 / 몇 가지 위험이나 가능성을 가진다 / 부상을 입을

해석 당신이 하는 모든 활동은 부상을 입을 몇 가지 위험이나 가능성을 갖고 있다.

해설 주어는 Any activity로 관계사 that/which가 생략된 you do의 수식을 받고 있다. 주어가 단수이므로 단수 동사인 has 가 적절하다.

02

S ┌── which/that 생략(s'+v') V

[Scenes / a child acts out] / _____ us / clues / about his or her past experiences.
장면들은 / 아이가 연기하는 / 우리에게 준다 / 실마리를 / 그의 과거 경험에 대한

해석 아이가 연기하는 장면들은 그의 과거 경험에 대한 실마리를 우리에게 준다.

해설 주어는 Scenes로 관계사가 생략된 a child acts out의 수식을 받고 있다. 본동사가 필요하므로 give가 적절하다.

03

S ┌── who/whom/that 생략(s'+v') V

[The friends / a person chooses / when in school] / _____ a lot of difference / in
his or her future. 친구들은 / 사람이 선택하는 / 학교에 있을 때 / 많은 차이를 만든다 / 그 사람의 미래에

해석 학교에서 그 사람이 선택하는 친구들은 그 사람의 미래에 많은 차이를 만든다.

해설 주어는 The friends로 관계사 who/whom/that이 생략된 a person chooses when in school의 수식을 받고 있다. 동사 앞에 있는 school은 함정이다. 주어가 복수이므로 복수 동사인 make가 적절하다.

04

S ┌── why/that 생략 (s'+v') V

[The only reason / she hangs out with you] / _____ because you never try to force
/ her / to be sociable. 유일한 이유는 / 그녀가 당신과 어울리는 / 당신이 결코 강요하지 않기 때문이다 / 그녀가 / 사교적이 되도록

해석 그녀가 당신과 어울리는 유일한 이유는 그녀가 사교적이 되도록 당신이 강요하지 않기 때문이다.

해설 주어는 The only reason으로 관계사 that/why가 생략된 she hangs out with you의 수식을 받고 있다. 동사 앞에 있 는 you는 함정이다. 주어가 단수이므로 단수 동사인 is가 적절하다.

05

┌── who/whom/that 생략 (s'+v')

[The person / you meet] / _____ a friend or relative / who can benefit you.
S   V   사람은 / 당신이 만나는 / 친구나 친척이 있다 / 당신에게 도움을 줄 수 있는

해석 당신이 만나는 사람은 당신에게 도움을 줄 수 있는 친구나 친척이 있다.

해설 주어는 The person으로 관계사가 생략된 you meet의 수식을 받고 있다. 본동사가 필요하므로 has가 적절하다.

06

S ┌── which/that 생략 (s'+v') V

[The new song / they just downloaded / on their cell phones] / _____ them / a
common topic / to talk about. 새로운 노래는 / 그들이 막 다운로드 받은 / 그들의 휴대폰에 / 그들에게 준다 / 공통된 주제를 / 말할

해석 그들이 휴대폰에 막 다운로드 받은 새로운 노래는 말할 만한 공통된 주제를 그들에게 준다.

해설 주어는 The new song으로 관계사 which/that이 생략된 they ~ cell phones의 수식을 받고 있다. 동사 앞에 있는 phones는 함정이다. 주어가 단수이므로 단수 동사 gives가 적절하다.

Point (076~078) Review

p.03

[01 – 10] 다음 중 알맞은 것을 고르시오.

01 Kids who watch a lot of TV is / are more likely to be overweight than those who do not.

02 The counselors he was with making / made him realize there are many good people around him.

03 The most common seasoning people put in their soup is / to be salt.

04 Workers who have windows near their desk work / works harder than those who don't.

05 Another reason I like movies is / are that for a few hours in the dark, all the people are on my side.

06 Questions convey interest, but sometimes the interest they convey is / to be not closely related to what the person is trying to say.

07 The locations that were newly bathed in blue experiencing / experienced a dramatic decline in criminal activity.

08 Families who eat together around a table has / have a conversation regularly over meals.

09 As the monkey matures, the range of stimuli that will trigger the call narrowing / narrows .

10 The water released from the dam is / to be colder than usual and this can affect the ecosystems in the rivers downstream.

 어휘를 알면 **구문이 보인다!**

체크! Words & Phrases

POINT 079

☐ sustain	유지하다
☐ invisible	보이지 않는
☐ unbelievable	믿기 힘든
☐ struggle	애쓰다
☐ evidence	증거
☐ disgusting	역겨운
☐ interrupt	방해하다
☐ digestive	소화의

POINT 080

☐ athletic	운동의
☐ enclose	동봉하다
☐ subscription	구독(료)
☐ attach	붙이다
☐ currently	최근에
☐ competence	능력
☐ confidence	신뢰, 자신
☐ cope with	~에 대처하다
☐ frustration	좌절

POINT 081

☐ virtual	가상의
☐ countless	셀 수 없을 만큼
☐ generate	발생시키다
☐ indicate	보여주다
☐ ethical	윤리적인
☐ decade	십 년
☐ significantly	상당히
☐ species	종

★ 모르는 단어에 체크하고, 소리 내어 10번만 뜻과 함께 말해 보세요.

[01-20] 다음 빈칸에 알맞은 우리말 뜻이나 단어를 쓰시오.

01 subscription
02 competence
03 confidence
04 interrupt
05 digestive
06 decade
07 significantly
08 disgusting
09 frustration
10 unbelievable
11 애쓰다
12 가상의
13 붙이다
14 증거
15 보이지 않는
16 유지하다
17 운동의
18 보여주다
19 윤리적인
20 동봉하다

POINT 079 동격절의 수식을 받는 주어

S = 동격절인 that ~ energy의 수식을 받는 The idea가 주어이다

[**The idea** / that our lives are sustained / by invisible

V 주어와 동사의 거리가 매우 멀다

natural energy] / **causes** heated discussion.

생각 / 우리 삶이 유지되고 있다 / 보이지 않는 자연 에너지에 의해서 / 과열된 토론을 유발한다.

⋯ 우리의 삶이 보이지 않는 에너지로 유지되고 있다는 생각은 과열된 토론을 유발한다.

Grammar Point

❶ 동격절이 주어를 수식하는 경우, 주어와 동사의 거리가 매우 길어지므로 [주어–동사]를 찾는 것이 중요하다.

S   that 동격절   V

❷ 동사가 두 개 이상이 나오므로 [주어와 본동사의 수일치 / 본동사 vs. 준동사]에 주의한다.

Words & Phrases

sustain
유지하다

invisible
보이지 않는

discussion
토론

unbelievable
믿기 힘든

struggle
애쓰다

expert
전문가

evidence
증거

psychologist
심리학자

culturally based
문화적으로 기초한

rattlesnake
방울뱀

disgusting
역겨운

interrupt
방해하다

digestive
소화의

다음 중 알맞은 것을 고르시오.

01 The fact that he is blind is / are what really made Erik's climb unbelievable.

02 The message that they are not capable of doing anything for themselves is / are given to children.

03 The idea that struggling can lead to better learning came / to come from Manu Kapur, education expert.

04 The evidence that the positive talk works is / are weak, and some psychologists suggest that it can actually hurt.

05 The culturally based idea that rattlesnake meat is a disgusting thing to eat interrupting / interrupted the normal digestive process.

[01-05] 빈칸에 알맞은 말을 넣으시오.

01

S

[The fact / that he is blind] / _____ what really made / Erik's climb / unbelievable.

V

사실은 / 그가 시각장애인이라는 / 실제로 만들게 한 것이다 / 에릭의 등반을 / 믿을 수 없게

해석 그가 시각장애인이라는 사실은 실제로 에릭의 등반을 믿기 어렵게 만든 것이다.

해설 주어는 The fact로 동격절인 that he is blind의 수식을 받고 있다. 주어가 단수이므로 단수 동사인 is가 적절하다.

02

S

[The message / that they are not capable of / doing anything for themselves] / _____

V

given to children. 메시지는 / 그들이 할 수 없다라는 / 그들 스스로 어떠한 것을 하는 것을 / 아이들에게 주어진다

해석 그들이 스스로 어떠한 것도 할 수 없다라는 메시지가 아이들에게 주어진다.

해설 주어는 The message로 동격절인 that they are not capable of doing anything for themselves의 수식을 받고 있다. 주어가 단수이므로 단수 동사인 is가 적절하다.

03

S

[The idea / that struggling can lead to better learning] / _____ from Manu Kapur,

V

education expert. 생각은 / 엄청난 노력이 더 나은 배움을 이끌 수 있다라는 / 교육전문가인 마누 카퍼로부터 왔다

해석 엄청난 노력이 더 나은 배움을 이끌 수 있다라는 생각은 교육 전문가인 마누 카퍼에게서 나왔다.

해설 주어는 The idea로 동격절인 that struggling can lead to better learning의 수식을 받고 있다. 본동사가 필요하므로 과거 동사인 came이 적절하다.

04

S

[The evidence / that the positive talk works] / _____ weak, / and some

V

psychologists suggest / that it can actually hurt.

증거는 / 긍정적인 말이 효과가 있다는 / 약하다 / 그리고 일부 심리학자들은 제안한다 / 그것이 실제로 다치게 할 수 있다고

해석 긍정적인 말이 효과가 있다는 증거는 미미하며, 일부 심리학자들은 그것이 실제로는 상처가 될 수 있다고 말한다.

해설 주어는 The evidence이며 동격절인 that the positive talk works의 수식을 받고 있다. 주어가 단수이므로 단수 동사인 is가 적절하다.

05

S

[The culturally based idea / that rattlesnake meat is a disgusting thing / to eat] / _____ the normal digestive process.

V

문화에 기초한 관념은 / 방울뱀 고기가 역겨운 것이라는 / 먹기에는 / 일반적인 소화과정을 방해했다

해석 방울뱀 고기는 먹기에 혐오스러운 음식이라는 문화에 기초한 '관념'이 정상적인 소화의 과정을 방해했다.

해설 주어는 The culturally based idea로 동격절인 that rattlesnake meat is a disgusting thing to eat의 수식을 받고 있다. 본동사가 필요하므로 과거 동사인 interrupted가 적절하다.

POINT 080 도치구문의 주어

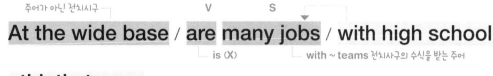

주어가 아닌 전치사구

At the wide base / **are many jobs** / **with high school athletic teams**.

V — is (X)   S   with ~ teams 전치사구의 수식을 받는 주어

넓은 하단부에는 / 많은 직업이 있다 / 고등학교 운동부와 관련된
⋯→ 넓은 하단부에는 고등학교 운동부와 관련된 많은 직업이 있다.

Grammar Point

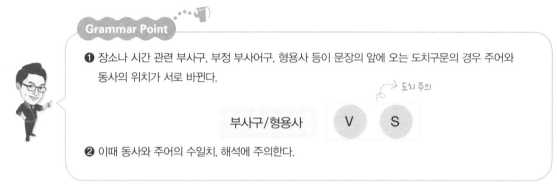

❶ 장소나 시간 관련 부사구, 부정 부사어구, 형용사 등이 문장의 앞에 오는 도치구문의 경우 주어와 동사의 위치가 서로 바뀐다.

도치 주의

부사구/형용사   **V**   **S**

❷ 이때 동사와 주어의 수일치, 해석에 주의한다.

Words & Phrases

athletic
운동의

shore
물가

enclose
동봉하다

subscription
구독(료)

equalizer
평등 장치

attach
붙이다

currently
최근에

employee
직원

competence
능력

confidence
신뢰, 자신

cope with
~에 대처하다

frustration
좌절

다음 중 알맞은 것을 고르시오.

01 Not far from the shore and the beach ⟨was / were⟩ a boat with four men in it.

02 Enclosed ⟨is / to be⟩ a subscription card which can be used for your gifts.

03 Gone ⟨is / are⟩ the days when the theme-park line was the great equalizer.

04 Attached ⟨is / are⟩ the files of currently hired employees that your managers hope to see.

05 With competence and confidence ⟨come / comes⟩ the strength needed to cope with situations that cause frustration and anger.

[01 – 05] 빈칸에 알맞은 말을 넣으시오.

01

┌ 부정부사어구   ⌐S → 도치

Not far from the shore and the beach _____ [a boat / with four men in it].

물가와 해변으로부터 멀지 않은 곳에 / 배가 있었다 / 그 안에 4명의 남자가 타고 있던

해석 물가와 해변으로부터 멀지 않은 곳에서 4명의 남자가 있는 배가 있었다.

해설 맨 앞에는 부정부사어구인 Not far from the shore and the beach가 위치하므로 주어와 동사는 도치된다. the shore and the beach는 함정이다. 주어는 a boat로 단수이므로 단수 동사 was가 적절하다.

02

┌ 분사   V   S → 도치

Enclosed _____ / [a subscription card / which can be used / for your gifts].

동봉되었다 / 구독카드가 / 사용될 수 있는 / 여러분의 선물에

해석 여러분의 선물에 사용될 수 있는 구독 카드가 동봉됐습니다.

해설 과거분사 Enclosed가 앞으로 나간 도치구문이다. 문장의 주어는 a subscription card이므로 본동사 is가 필요하다.

03

┌ 분사   V   S → 도치 ┌ 관계부사

Gone _____ / [the days / when the theme-park line / was the great equalizer].

가버렸다 / 날들이 / 놀이공원의 줄이 / 위대한 평등 장치였던

해석 놀이공원에서의 줄이 위대한 평등 장치였던 날들이 끝났다.

해설 과거분사 Gone이 문장 앞으로 나와 주어와 동사가 도치된 구문이다. 주어는 the days로 복수이므로 복수 동사인 are가 적절하다.

04

┌ 분사   V   S → 도치

Attached _____ [the files of currently hired employees / that your managers hope

to see]. 첨부됐다 / 현재 고용된 직원들의 파일들이 / 당신의 경영진이 보기를 희망하는

해석 당신의 경영진이 보기를 바라는 현재 고용된 직원들의 파일이 첨부됐습니다.

해설 과거분사 Attached가 문장 앞으로 나와 주어와 동사가 도치된 구문이다. 주어는 the files로 복수이므로 복수 동사인 are가 적절하다.

05

┌ 전치사구   V   S → 도치

With competence and confidence / _____ / [the strength / needed to cope with

situations / that cause frustration and anger].

능력과 자신감과 함께 / 온다 / 강함이 / 상황에 대처하는 데 필요한 / 실망과 분노를 유발하는

해석 실망과 분노를 유발하는 상황에 대처하는 데 필요한 강함이 능력과 자신감과 함께 온다.

해설 전치사구 With competence and confidence가 문장의 앞으로 나와 주어와 동사가 도치된 구문이다. 주어는 the strength로 단수이므로 단수 동사인 comes가 적절하다.

관계대명사절 안의 동사의 수일치

뒤의 관계사절의 수식을 받는 선행사이다.

Gravitation is **the universal attraction** / between **two**
_S

관계사절 앞에 있지만, 선행사가 아니다

objects / [that **causes** / them to pull / toward each other].

cause(X) 선행사 two objects가 아닌 the universal attraction이므로 단수 동사인 causes 가 되어야 한다.

중력은 만유인력이다 / 두 물체 사이에 / 유발하는 / 그것들이 당기도록 / 서로를 향해서
… 중력은 서로를 향해서 당기도록 유발하는 두 물체 사이의 만유인력이다.

Grammar Point

❶ 관계사절의 동사의 수일치는 수식을 받는 선행사가 결정한다.
❷ 관계사절 바로 앞의 명사가 선행사가 아닐 경우 수일치와 해석에 주의한다.

Words & Phrases

virtual
가상의

countless
셀 수 없을 만큼

invention
발명품

generate
발생시키다

indicate
보여주다

ethical
윤리적인

consumer
소비자

decade
십 년

significantly
상당히

bee sting
벌침

species
종

knowledge
지식

다음 중 알맞은 것을 고르시오.

01 Virtual image is an environment created by computers which look / looks almost real.

02 There are countless examples of scientific inventions that has / have been generated by accident.

03 There are some important changes in the world which indicate / indicates that ethical consumers will continue to be a growing force in the next few decades.

04 There were 71 shark attacks on humans worldwide and only one death last year, which is / are significantly lower than the death rate for bee stings and snake bites.

05 The human species differs from other animals because we thirst for a lot of knowledge that reach / reaches far beyond our personal needs.

[01 – 05] 빈칸에 알맞은 말을 넣으시오.

01

Virtual image is an environment / created by computers / which _____ almost real.
가상 이미지는 환경이다 / 컴퓨터에 의해서 만들어진 / 거의 실제처럼 보이는

해석 가상이미지는 컴퓨터에 의해서 만들어진 거의 실제처럼 보이는 환경이다.

해설 관계사절이 수식하는 선행사는 an environment이다. (실제처럼 보이는 것은 computers가 아니라 an environment이다) 따라서 단수 동사인 looks가 적절하다.

02

There are countless examples / of scientific inventions / that _____ been generated
by accident. 셀 수 없을 만큼 많은 예들이 있다 / 과학적 발명품에는 / 우연에 의해서 발생한

해석 우연에 의해서 발생한 과학적 발명에 대한 셀 수 없을 만큼 많은 예들이 있다.

해설 관계사절의 수식을 받는 것은 scientific inventions이므로 동사는 복수 동사인 have가 적절하다.

03

There are some important changes / in the world / which _____ / that ethical
consumers will continue / to be a growing force / in the next few decades.
일부 중요한 변화가 있다 / 세계에는 / 알려주는 / 윤리적 소비자는 계속할 것이다 / 증가하는 세력인 것을 / 다음 몇 십 년 안에

해석 몇 십 년 안에 윤리적 소비자들이 계속해서 증가하는 세력이 될 것임을 알려주는 세계에서의 일부 중요한 변화가 있다.

해설 관계사절의 수식을 받는 것은 앞에 있는 the world가 아니라 some important changes이므로 복수 동사인 indicate가 적절하다.

04

There were 71 shark attacks / on humans / worldwide / and only one death last year, which
_____ significantly lower / than the death rate / for bee stings and snake bites.
거건의 상어 공격이 있었다 / 사람에 대한 / 세계적으로 / 그리고 지난해 단 1건의 사망만이 / 이것은 상당히 낮다 / 사망률보다 / 벌이나 뱀에 의한

해석 세계적으로 상어의 인간 공격은 71건, 사망은 지난해 단 1건만 있는데, 이는 꿀벌이나 뱀에 의한 사망률보다 매우 낮다.

해설 관계사절의 선행사는 only one death이므로 단수이다. 따라서 단수 동사인 is가 적절하다.

05

The human species / differs from other animals / because we thirst for a lot of
knowledge / that _____ far beyond our personal needs.
인간들은 / 다른 동물들과는 다르다 / 왜냐하면 우리는 많은 지식에 갈증을 느끼기 때문에 / 우리 개인적 욕구를 넘어 도달하는

해석 우리의 개인적 욕구를 넘어 도달하는 많은 지식을 갈구하기 때문에 인간들은 다른 동물들과는 다르다.

해설 관계사절의 수식을 받는 선행사는 a lot of knowledge이다. knowledge는 불가산명사이므로 단수 취급한다. 따라서 동사는 단수 동사인 reaches가 적절하다.

Point (079~081) Review

[01 – 10] 다음 중 알맞은 것을 고르시오.

01 There is / are a risk of sudden sliding and subsequent accidents.

02 Fifty moviegoers were given a medium or large container of free popcorn that was / were either fresh or not.

03 His opinion that this novel is exciting is / to be the same as mine.

04 On the hill stand / stands some beautiful houses.

05 The fact that she left me because of those letters has / have hurt me deeply.

06 So strong is / are the desires to make a difference that it is easy to fall into error.

07 One of the boys who is / are dancing on the stage is my younger brother.

08 The idea that children should acquire more information is / are criticized recently.

09 Deep below the land in California is / are two huge but silent volcanoes.

10 The actual probability that the Ohio State football team will win the national championship is / to be very low.

[01 – 10] 다음 중 알맞은 것을 고르시오.

01 The competition to sell manuscripts to publishers $\boxed{\text{is / are}}$ fierce.

02 The best way for young children to learn about computers $\boxed{\text{is / are}}$ to use them only for a short time each day.

03 Judgements about flavor $\boxed{\text{is / are}}$ often influenced by predictions based on the appearance of the food.

04 A rabbit running from a coyote $\boxed{\text{not running / does not run}}$ endlessly in a straight line.

05 Humans who lived as hunter-gatherers more than 10,000 years ago $\boxed{\text{fitting / fitted}}$ into ecosystems.

06 The greatest fear we all have as human beings $\boxed{\text{is / are}}$ the fear of loneliness.

07 Any manuscript that contains errors $\boxed{\text{stand / stands}}$ little chance at being accepted for publication.

08 The opinion that people are likely to express more satisfaction with their lives $\boxed{\text{is / are}}$ different from mine.

09 The component of agriculture that most significantly contributes to climate change $\boxed{\text{is / to be}}$ livestock.

10 The erosion of teeth $\boxed{\text{is / are}}$ determined by the temperature of drinks.

조동사

Modals

체크! Words & Phrases

POINT 082

☐ take a look at	~을 보다
☐ chart	표
☐ maid	하녀
☐ sense of touch	촉각
☐ rough	거친
☐ smooth	매끄러운
☐ surface	표면
☐ phone record	전화 내역
☐ trust	신뢰하다

POINT 083

☐ private	사적인
☐ sidewalk	인도
☐ mind	꺼리다
☐ wait in line	줄을 서서 기다리다
☐ make a trip to	~로 여행[이동]하다
☐ take action	조치를 취하다
☐ drowning	익사자, 익사 사고

POINT 084

☐ achieve	성취하다
☐ at least	적어도
☐ estimate	측정하다
☐ worthless	가치 없는
☐ difference	차이
☐ accept	받아들이다
☐ realize	깨닫다
☐ branch chief	지점장
☐ missing	잃어버린

[01 – 20] 다음 빈칸에 알맞은 우리말 뜻이나 단어를 쓰시오.

01 estimate

02 trust

03 surface

04 rough

05 achieve

06 sidewalk

07 mind

08 private

09 make a trip to

10 at least

11 조치를 취하다

12 익사자, 익사 사고

13 가치 없는

14 깨닫다

15 ~을 보다

16 받아들이다

17 잃어버린

18 촉각

19 차이

20 줄을 서서 기다리다

★ 모르는 단어에 체크하고, 소리 내어 10번만 뜻과 함께 말해 보세요.

082 can vs. could

S   V   과거의 능력을 나타낸다.

Our team **could** finish / the project / 3 months later.
= was able to

우리 팀은 끝낼 수 있었다 / 그 프로젝트를 / 3개월 후에
→ 우리 팀은 그 프로젝트를 3개월 후에 끝낼 수 있었다.

Grammar Point

❶ can "할 수 있다(= be able to)" vs. "〜 해도 된다(허락)"
❷ could "할 수 있었다(can의 과거)" vs. "〜일 수도 있다(가정)" vs. "〜해도 될까요?(공손)"
❷ cannot be "〜일 리가 없다" vs. "〜될 수 없다"

Words & Phrases

take a look at
〜을 보다

chart
표

maid
하녀

sense of touch
촉각

rough
거친

smooth
매끄러운

surface
표면

phone record
전화 내역

trust
신뢰하다

다음 문장의 밑줄 친 부분을 해석하시오.

01 <u>Could I take a look at the photos</u> in your school album?

02 He didn't know how to read the chart. He <u>can't be a doctor</u>.

03 I <u>couldn't say yes right away</u> because I had to take care of my husband.

04 You <u>can't be your roommate's mother or maid</u> cleaning up after her.

05 Without that sense of touch, we <u>could not feel any difference</u> between rough and smooth surfaces.

06 You <u>can check my phone records</u> if you still don't trust me.

[01 – 06] 빈칸에 알맞은 말을 넣으시오.

01
　　허락 (공손)

_____ I take a look at the photos / in your school album?

제가 사진을 봐도 되나요 / 당신의 학교 앨범에 있는

해석 제가 당신의 학교 앨범에 있는 <u>사진을 봐도 되나요?</u>

해설 공손하게 허락을 요청할 때 Can 대신 Could가 적절하다.

02

He didn't know / how to read the chart. / He _____ be a doctor.

　　　　　　　　　　　　　　　　　　　　　~일 리가 없다

그는 몰랐다 / 차트를 읽는 법을 / 그가 의사일 리가 없다

해석 그는 차트 읽는 법도 몰랐다. 그가 <u>의사일 리가 없다.</u>

해설 can't[cannot] be는 "일 리가 없다"는 강한 추측을 나타낸다.

03
　　　능력

I _____ say yes / right away / because I had to take care of my husband.

나는 예라고 말할 수 없었다 / 당장 / 왜냐하면 나는 남편을 돌봐야만 해서

해석 남편을 돌봐야 하기에 당장 예라고 말할 수 없었다.

해설 시제가 과거이므로 can't의 과거형인 couldn't가 적절하다.

04
　　　능력

You _____ be / your roommate's mother or maid / cleaning up / after her.

너는 될 수가 없다 / 너의 룸메이트의 어머니나 하녀가 / 청소를 하는 / 그녀가 어지럽힌 다음에

해석 너는 룸메이트가 어지럽힌 다음에 치우는 <u>그녀의 어머니나 하녀가 될 수 없다.</u>

해설 "~가 될 수 없다"는 능력을 나타내야 하므로 can't[cannot]가 적절하다.

05
　　　　　　　　　　　　　　　　가정, 추정

Without that sense of touch, / we _____ not feel any difference / between rough
and smooth surfaces.

그러한 촉각이 없다면 / 우리는 어떤 차이점도 느낄 수 없을 것이다 / 거칠고 부드러운 표면 사이에

해석 그러한 촉각이 없다면, 우리는 거친 표면과 부드러운 표면 사이의 <u>어떤 차이도 느낄 수 없을 것이다.</u>

해설 "~일 수도 있다"는 가정을 나타내므로 could가 적절하다.

06
　　　허락

You _____ check my phone records / if you still don't trust me.

너는 나의 전화 내역을 확인해도 된다 / 여전히 나를 믿지 못한다면

해석 네가 여전히 나를 믿지 못한다면, <u>나의 전화 내역을 확인해도 돼.</u>

해설 "~해도 된다"는 허락을 나타내므로 can이 적절하다.

S   V

[People / **having private conversations**] / **would**

stand / in the middle of the sidewalk.

과거의 불규칙적인 습관 표현

사람들은 / 사적 대화를 나누는 / 서 있곤 했다 / 인도 한가운데서

⋯ 사적인 대화를 하고 있는 사람들은 인도 한가운데 서 있곤 했다.

Grammar Point

❶ will "～일 것이다"
❷ would = will의 과거형
❸ would "～하곤 했다(습관)" vs. "～일 텐데(가정)" vs. "공손(부탁)"
❹ would not "～하려 하지 않다(고집)"

다음 문장의 밑줄 친 부분을 해석하시오.

Words & Phrases

private
사적인

conversation
대화

sidewalk
인도

mind
꺼리다

wait in line
줄을 서서 기다리다

make a trip to
～로 여행[이동]하다

take action
조치를 취하다

drowning
익사자, 익사 사고

01   Would you mind waiting in line for me?

02   On cold winter evenings all our friends would sit around the fire.

03   He promised that he would send a letter or postcard from London.

04   I meet wonderful people and see places I would never be able to see.

05   When Matt was only six years old, his family would make a long trip from the city to the beach once a month.

06   If my uncle hadn't taken action so quickly, there would have been two drownings instead of one.

[01 – 06] 빈칸에 알맞은 말을 넣으시오.

01

공손(부탁)

_____ you mind / waiting in line / for me?

해 주시겠어요 / 줄을 서서 기다리는 것을 / 저를 위해

해석 저를 위해 줄을 서서 기다려 주시겠어요?

해설 공손하게 부탁할 때 will이 아닌 would가 온다. 따라서 Would가 적절하다.

02

과거의 습관

On cold winter evenings, / all our friends / _____ sit around the fire.

추운 겨울 저녁에 / 우리 친구들 모두 / 화덕 주위에 앉아 있곤 했다.

해석 추운 겨울 저녁에 우리 친구들 모두는 화덕 주위에 앉아 있곤 했다.

해설 would는 과거의 습관을 표현할 수 있다. 따라서 would가 적절하다.

03

시제일치

He promised / that he _____ send / a letter or postcard / from London.

그는 약속했다 / 그가 보낼 거라고 / 편지나 엽서를 / 런던으로부터

해석 그는 런던에서 편지나 엽서를 보낼 것이라고 약속했다.

해설 주절의 시제가 과거이므로 will의 과거형인 would가 온다. 따라서 would가 적절하다.

04

미래에 대한 추측

I meet wonderful people / and see places / I _____ never be able to see.

나는 멋진 사람들을 만난다 / 그리고 장소를 본다 / 내가 결코 볼 수 없을

해석 나는 멋진 사람들을 만나고 내가 결코 볼 수 없을 장소를 본다.

해설 가정이나 추측을 나타내기 위해 would를 쓸 수 있다. 따라서 would가 적절하다.

05

과거의 습관

When Matt was only six years old, / his family _____ make a long trip / from the city / to the beach / once a month.

매트가 겨우 6살이었을 때 / 그의 가족은 장거리 여행을 가곤 했다 / 도시에서 / 해변으로 / 한 달에 한 번

해석 매트가 고작 6살이었을 때, 그의 가족은 한 달에 한 번, 도시에서 해변으로 장거리 여행을 가곤 했다.

해설 would는 과거 습관을 표현할 수 있다. 따라서 would가 적절하다.

06

과거 상황에 대한 가정

If my uncle hadn't taken action so quickly, / there _____ have been two drownings / instead of one. 내 삼촌이 그렇게 빨리 조치를 취하지 않았더라면 / 두 명의 익사자가 있을 것이다 / 한 명 대신에

해석 내 삼촌이 그렇게 빠르게 조치를 취하지 않았더라면 한 명이 아닌 두 명의 익사자가 있었을 것이다.

해설 가정이나 추측을 나타내기 위해 would를 쓸 수 있다. If+주어+had+p.p.~, 주어+would+have+p.p.~ 구조로 가정법 과거완료 문장이다. 따라서 would가 적절하다.

must

'∼해야 한다'의 의무를 표현하다.

Even if someone stole your money, / you **must** not steal it back.

누군가가 당신의 돈을 훔쳤다고 할지라도 / 당신은 그것을 다시 훔쳐서는 안 된다

⋯→ 누군가가 당신의 돈을 훔쳤다고 할지라도, 당신은 그것을 다시 훔쳐서는 안 된다.

Grammar Point

❶ 의무를 나타내는 "∼해야 한다"에 **not**을 붙이면 "금지"가 된다.
❷ 강한 추측의 "∼임에 틀림없다"

다음 문장의 밑줄 친 부분을 해석하시오.

Words & Phrases

achieve
성취하다

at least
적어도

estimate
측정하다

worthless
가치 없는

difference
차이

accept
받아들이다

realize
깨닫다

branch chief
지점장

missing
잃어버린

01 People <u>must learn how to think well</u> to achieve their dreams.

02 I know his father is fifty years old, so I estimate that <u>his grandmother must be at least seventy</u>.

03 Our words and actions <u>must show them</u> that none of their questions are silly or worthless.

04 You <u>must be open to learning</u> about their differences and accept new things.

05 Realizing that <u>something must have been missing</u>, the branch chief checked the report.

06 <u>He must have met Jane in the park</u>, considering the picture where he was with her.

[01 – 06] 빈칸에 알맞은 말을 넣으시오.

01

의무

People _____ / how to think well / to achieve their dreams.

사람들은 배워야만 한다 / 잘 생각하는 법을 / 그들의 꿈을 성취하기 위해서

[해석] 사람들은 그들의 꿈을 이루기 위해서 잘 생각하는 법을 배워야만 한다.

[해설] '~해야 한다'는 의무를 나타내야 하므로 must learn이 적절하다.

02

강한 추측

I know / his father is fifty years old, / so I estimate / that his grandmother _____ at least seventy.

나는 알고 있다 / 그의 아버지가 50세라는 것을 / 그래서 나는 추정한다 / 그의 할머니께서 최소한 70세임에 틀림없다고

[해석] 나는 그의 아버지가 50세라는 것을 알고 있고, 그래서 그의 할머니는 최소한 70세임에 틀림없다고 추정한다.

[해설] '~임에 틀림없다'는 강한 추측을 나타내므로 must be가 적절하다.

03

의무

Our words and actions / _____ them / that none of their questions / are silly or worthless.

우리의 말과 행동은 / 그들에게 보여주어야 한다 / 그들의 질문 중 어떠한 것도 / 멍청하거나 가치가 없는 것이 아니라고

[해석] 우리의 말과 행동은 그들에게 그들의 질문 중 어떠한 것도 멍청하거나 가치가 없는 것은 없다라고 보여주어야 한다.

[해설] '~해야 한다'는 의무를 나타내야 하므로 must show가 적절하다.

04

의무 ❶ ❷

You _____ open / to learning / about their differences / and accept new things.

당신은 개방적이어야 한다 / 배우는 것에 / 그들의 차이점에 대해서 / 그리고 새로운 것을 받아들여야 한다

[해석] 여러분은 그들의 차이점에 대해서 배우는 데 개방적이어야 하며, 새로운 것을 받아들여야 한다.

[해설] '~해야 한다'는 의무를 나타내야 하므로 must be가 적절하다

05

강한 추측

Realizing / that something _____ missing, / the branch chief checked the report.

깨닫고 / 무언가가 빠져 있었음에 틀림없다는 것을 / 지점장은 보고서를 확인했다.

[해석] 무언가가 빠져 있음이 틀림없다는 것을 깨닫고 지점장은 보고서를 확인했다.

[해설] '~임에 틀림없다'는 강한 추측을 나타내고 과거에 대한 추측이므로 must have been이 적절하다.

06

강한 추측 분사구문, '고려할 때'

He _____ Jane / in the park, / considering the picture / where he was with her.

그는 제인을 만났음에 틀림없다 / 공원에서 / 사진을 고려했을 때 / 그가 그녀와 함께 있는

[해석] 그가 그녀와 함께 있는 사진을 고려했을 때, 그는 공원에서 제인을 만났음에 틀림없다.

[해설] '~임에 틀림없다'는 강한 추측을 나타내고 과거에 대한 추측이므로 must have met이 적절하다.

[01 – 10] 다음 문장의 밑줄 친 부분을 해석하시오.

01 Before the Internet age, <u>many people would send letters</u> to each other.

02 <u>He would not listen to me.</u> He just did what he wanted.

03 <u>They must take every step</u> they can in order to deal with this problem.

04 Whatever you say, <u>I will go to the ballpark</u> and enjoy the game.

05 He can lead a horse to water, but <u>he cannot make it drink.</u>

06 <u>Could you return the book</u> to the library for me?

07 <u>You cannot have been to the party.</u> I didn't see you there.

08 <u>He must have taken her smile as permission</u> to take the unwatched stroller.

09 If they were not right, <u>she would not agree with them.</u>

10 <u>You must not skip any questions</u> on the survey.

체크! Words & Phrases

POINT 085

☐ present	존재하는
☐ require	요구하다
☐ committee	위원회
☐ demand	요구하다
☐ planet	행성
☐ equally	동등하게
☐ treat	대하다
☐ regardless of	~와 상관없이

POINT 086

☐ skilled	숙련된
☐ specialization	전문화
☐ result in	~을 초래하다
☐ proposal	제안
☐ concentrate on	~에 집중하다
☐ recommendation	권고, 추천
☐ persuade	설득하다
☐ scholarship	장학금
☐ prehistoric	선사시대의
☐ face-to-face	대면의

POINT 087

☐ civilization	문명
☐ production	생산
☐ decline	감소하다
☐ population	인구
☐ right	권리
☐ depend on	~에 의지[의존]하다
☐ tremendous	엄청난

★ 모르는 단어에 체크하고, 소리 내어 10번만 뜻과 함께 말해 보세요

[01 - 20] 다음 빈칸에 알맞은 우리말 뜻이나 단어를 쓰시오.

01 scholarship _____

02 committee _____

03 planet _____

04 demand _____

05 specialization _____

06 civilization _____

07 production _____

08 proposal _____

09 concentrate on _____

10 prehistoric _____

11 숙련된 _____

12 ~에 의지[의존]하다 _____

13 동등하게 _____

14 ~을 초래하다 _____

15 권고, 추천 _____

16 설득하다 _____

17 ~와 상관없이 _____

18 대하다 _____

19 권리 _____

20 인구 _____

POINT 085　should

약한 의무, 충고를 나타내는 조동사

You **should** hand in your assignments / by
tomorrow.

여러분들은 여러분의 과제를 제출해야만 합니다 / 내일까지
⋯⋙ 여러분은 내일까지 과제를 제출해야만 합니다.

Grammar Point

❶ 약한 의무, 충고 (~해야 한다)
❷ 명령, 주장, 제안, 권고의 that절에서 should 사용 (생략 가능)
  He asked that she (should) not be late again.
  그는 그녀가 다시는 늦어서는 안 된다고 요구했다.
❸ 가정법 미래 should (가능성이 낮은 가정: 혹시 ~한다면)
  If you should get an A. I will give you this medal.
  네가 A를 받는다면, 나는 이 메달을 너에게 줄 것이다.

Words & Phrases

present
존재하는

require
요구하다

committee
위원회

demand
요구하다

take steps
단계를 밟다

planet
행성

equally
동등하게

accept
받아들이다

treat
대하다

regardless of
~와 상관없이

🔍 다음 문장의 밑줄 친 부분을 해석하시오.

01　Music <u>should not be present</u> where careful mental work is required.

02　<u>If I should build a house of my own</u>, I will not build it in a large city.

03　The committee <u>demanded that he should tell them the truth</u>.

04　Now <u>we should take steps</u> to find clean energy in order to save our
　　planet.

05　<u>If you should need more assistance</u>, I will ask my sister for help.

06　All people <u>should be equally accepted and equally treated</u>, regardless
　　of their differences from others.

[01 – 06] 빈칸에 알맞은 말을 넣으시오.

01
┌ 의무   ┌ ~인 곳에서
Music _____ present / where careful mental work / is required.
음악은 존재해서는 안 된다 / 주의 깊은 정신적 업무가 / 필요한 곳에서는

해석 정신적 집중이 요구되는 곳에서 음악은 있으면 안 된다.
해설 '~하면 안 된다'는 의무를 나타내야 하므로 should not be가 적절하다.

02
┌ 의무
If I _____ a house of my own, / I would not build it / in a large city.
내가 내 집을 지어야만 한다면 / 나는 그것을 짓지 않을 것이다 / 대도시에

해석 내가 내 집을 지어야만 한다면 대도시에는 짓지 않을 것이다.
해설 '~해야 한다'는 의무를 나타내므로 should build가 적절하다.

03
┌ 권고동사   ┌ 의무
The committee demanded / that he _____ them / the truth.
위원회는 요구했다 / 그가 그들에게 말해야 한다고 / 진실을

해석 위원회는 그가 그들에게 진실을 말해야만 한다고 요구했다.
해설 명령, 주장, 제안, 권고의 that절이므로 주어 뒤에 should tell이 적절하다. 이때 should는 생략될 수 있다.

04
┌ 의무
Now we _____ steps / to find clean energy / in order to save our planet.
지금 우리는 절차를 밟아야 한다 / 청정에너지를 찾는 / 우리 행성을 구하기 위해서

해석 지금 우리는 우리 행성을 구하기 위해서 청정에너지를 찾는 절차를 밟아야 한다.
해설 '~해야 한다'는 의무를 나타내야 하므로 should take가 적절하다.

05
┌ 의무
If you _____ / more assistance, / I will ask my sister / for help.
만약 당신이 필요하다면 / 더 많은 도움이 / 제가 언니에게 요청할게요 / 도움을

해석 당신이 더 많은 도움이 필요하다면, 제가 저희 언니에게 도움을 요청할게요.
해설 '혹시 ~한다면'의 가정법 미래를 나타내야 하므로 should need가 적절하다.

06
┌ 의무
All people _____ equally accepted / and equally treated, / regardless of their differences / from others.
모든 사람들은 동등하게 받아들여져야 한다 / 그리고 동등하게 대우받아야 한다 / 그들의 차이와 상관없이 / 다른 이들과의

해석 모든 사람들은 다른 사람들과의 차이와 상관없이 평등하게 받아들여져야 하고, 평등하게 대우받아야만 한다.
해설 '~해야 한다'는 의무를 나타내야 하므로 should be가 적절하다.

POINT 086 조동사 + have p.p.

예전에 '사용했을지도 모른다'고 추정하고 있다

Such skilled workers / **may have used** simple tools, /

but their specialization / resulted in more efficient work.

그런 숙련된 근로자들은 / 간단한 도구를 사용했을 것이다 / 하지만, 그들의 전문화는 /
더욱 효율적인 작업으로 이어졌다 … 그런 숙련된 근로자들은 간단한 도구들을 사용했
을 수도 있다. 하지만, 그들의 전문화는 보다 효율적인 작업으로 이어졌다.

Grammar Point

❶ must have p.p. (~했었음에 틀림없다: 했음) vs. should have p.p. (~했어야 했다: 안 했음)
❷ may/might have p.p. (~했을지도 모른다)
❸ could have p.p. (~할 수도 있었다: 못 했음)

Words & Phrases

skilled
숙련된

specialization
전문화

result in
~을 초래하다

mistake
실수

proposal
제안

concentrate on
~에 집중하다

accept
수락하다

recommendation
권고, 추천

persuade
설득하다

scholarship
장학금

committee
위원회

prehistoric
선사시대의

face-to-face
대면의

다음 문장의 밑줄 친 부분을 해석하시오.

01 She should have called her father. He was so worried about her.

02 My older brother might have called my mother about my mistake.

03 Someone must have seen the accident when the car crash happened.

04 He could have accepted her proposal, but he decided to concentrate on his career.

05 Your recommendation must have persuaded the scholarship committee to take a chance on me.

06 A common challenge for prehistoric man may have been to walk outside his cave in the morning and find himself face-to-face with a huge, hungry lion.

끊어 읽으면 답이 보인다!

POINT **086**

[01–06] 빈칸에 알맞은 말을 넣으시오.

01

_{┌ ~했어야 했다(안 했음)}

She _____ her father. / He was so worried / about her.

그녀는 아버지에게 전화를 했어야 했다 . / 그는 너무 걱정하고 있었다 / 그녀를

해석 그녀는 아버지에게 전화를 했어야 했다. 그는 그녀를 너무 걱정하고 있었다.

해설 '~했어야 했다'는 의미로 should have called가 적절하다.

02

_{┌ 과거에 대한 추측}

My older brother _____ / my mother / about my mistake.

내 형은 전화를 했을지도 모른다 / 어머니에게 / 내 실수에 대해서

해석 형은 내 실수에 대해서 어머니에게 전화했을지도 모른다.

해설 '~했을지도 모른다'는 의미로 might have called가 적절하다.

03

_{┌ ~했음에 틀림없다(했을 가능성이 매우 높음)}

Someone _____ the accident / when the car crash happened.

누군가가 그 사건을 봤음에 틀림없다 / 그 차 충돌이 발생했을 때

해석 차사고가 발생했을 때, 누군가가 그 사건을 봤음에 틀림없다.

해설 '~했음에 틀림없다'는 의미로 must have seen이 적절하다.

04

_{┌ ~했었을 수도 있다(안 했음)}

He _____ her proposal, / but he decided / to concentrate on his career.

그는 그녀의 제안을 받아들였을 수도 있다 / 하지만, 그는 결정했다 / 그의 일에 집중하기로

해석 그는 그녀의 제안을 받아들였을 수도 있지만, 자신의 일에 집중하기로 결정했다.

해설 '~했었을 수도 있다'는 의미로 could have accepted가 적절하다.

05

_{┌ ~했음에 틀림없다(했을 가능성이 매우 높음)}

Your recommendation / _____ the scholarship committee / to take a chance on me.

여러분의 추천서가 / 장학금 위원회를 설득했음에 틀림없다 / 나에게 기회를 주도록

해석 여러분의 추천서가 저에게 기회를 주도록 장학금 위원회를 설득했음에 틀림없습니다.

해설 '~했음에 틀림없다'는 의미로 must have persuaded가 적절하다.

06

_S   _{V ┌ 과거에 대한 추측}

A common challenge / for prehistoric man / _____ to walk outside his cave / in the morning / and find himself / face-to-face with a huge, hungry lion.

공통의 어려움은 / 선사시대의 사람의 / 동굴 밖으로 걸어가는 것이었을 것이다 / 아침에 / 그리고 자기 자신을 발견하는 것 / 거대한 굶주린 사자와 마주하고 있는

해석 선사시대의 사람들이 가진 공통의 어려움은 아침에 동굴 밖으로 나가서 거대하고 굶주린 사자를 직면해야 한다는 것이 었을지도 모른다.

해설 '~했을지도 모른다'는 의미로 may have been이 적절하다.

POINT

087 대동사

앞에 나오는 일반동사 developed를 받음

As civilizations **developed**, / so **did** fashions.

문명이 발전함에 따라 / 패션도 그러했다(발전했다)
··· 문명이 발전함에 따라 패션도 발전했다.

Grammar Point

❶ 동사의 반복을 피하기 위해서 사용

일반동사 → do, does, did   be동사 → be동사   조동사 → 조동사

❷ 완료조동사 have/has/had는 have/has/had로 받는다.

🔍 다음 중 알맞은 것을 고르시오.

Words & Phrases

civilization
문명

production
생산

decline
감소하다

population
인구

demand
수요

right
권리

depend on
～에 의지[의존]하다

tremendous
엄청난

intent
의도

01   As Malaysia | was / did | in 2016, India's production also declined.

02   As the population of China grows, so | is / does | the demand for cars.

03   Dogs and cats have the same rights in this country as you | are / do |.

04   The message depends more on situations and feelings than it | is / does | on words.

05   All of her friends loved classical music. So | were / did | the travelers who were in China.

06   Words and language have had tremendous power, as | have / has | the intent behind them.

[01 – 06] 빈칸에 알맞은 말을 넣으시오.

01

┌─ 일반동사 declined를 받음

As Malaysia ＿＿＿＿＿＿ in 2016, / India's production also **declined**.

말레이시아가 2016년에 감소했듯이 / 인도의 생산량도 마찬가지로 줄었다.

해석 2016년의 말레이시아가 줄어들었듯이, 인도의 생산량도 마찬가지로 줄었다.

해설 뒤에 나오는 일반동사 declined를 받으므로 do의 과거형인 did가 적절하다.

02

일반동사 grow를 받음 ┐ V ＿＿ S

As the population of China **grows**, / so ＿＿＿＿＿＿ / the demand for cars.

중국의 인구가 성장함에 따라 / 그러하다 / 자동차에 대한 수요도

해석 중국의 인구가 성장함에 따라, 자동차에 대한 수요도 성장한다.

해설 일반동사 grow를 받고 있고, 주어는 단수(the demand)이므로 대동사 does가 적절하다.

03

일반동사 have를 받음 ┐

Dogs and cats / **have the same rights** / in this country / as you ＿＿＿＿＿＿.

개와 고양이들은 / 동일한 권리를 가지고 있다 / 이 나라에서 / 당신이 가지고 있듯이

해석 당신이 권리를 가지듯이, 개와 고양이도 이 나라에서는 동일한 권리를 가진다.

해설 일반동사 have를 받고 있고 주어가 you이므로 대동사 do가 적절하다.

04

일반동사 depends를 받음 ┐

The message **depends** more / on situations and feelings / than it ＿＿＿＿＿＿ on words.

메시지는 더 많이 의존한다 / 상황과 감정에 / 그것이 말에 의존하는 것보다

해석 메시지는 말에 의존하는 것보다 상황과 감정에 더 많이 의존한다.

해설 일반동사 depends를 받고 있고 주어가 it이므로 대동사 does가 적절하다.

05

일반동사 loved를 받음 ┐ V ＿ S ▼

All of her friends / **loved classical music**. / So ＿＿＿＿＿＿ / the travelers / **who were in China**. 그녀의 친구 모두는 / 클래식 음악을 사랑했다 / 그러했다 / 여행객들도 / 중국에 있던

해석 그녀의 친구 모두는 클래식 음악을 사랑했다. 그리고 중국에 있던 여행객들도 마찬가지였다.

해설 일반동사 loved를 받고 있으므로 대동사의 과거형인 did가 적절하다.

06

현재완료 have had를 받음 ┐ V ＿ S

Words and language / **have had tremendous power**, / as ＿＿＿＿＿＿ / the intent behind them. 단어와 언어는 / 엄청난 영향력을 지녀 왔다 / 그러하듯이 / 그들 뒤에 있는 의도가

해석 단어와 언어는 그들 뒤에 있는 의도가 그러하듯이, 엄청난 영향력을 지녀 왔다.

해설 현재완료 have had를 받고 있고, 주어 intent는 단수이므로 단수 동사 has가 적절하다.

Point (085~087) Review
p.07

[01-10] 다음 중 알맞은 것을 고르시오.

01 Jane was more excited at the concert than she usually is / does .

02 He should / must have left early, then he could have gotten on the bus.

03 Look at all the water on the ground. It must / should have rained last night.

04 Some items in the cabin may be / have been left by the two criminals who stole money from the bank.

05 Many users may spend more time on the Internet than they do / are in their cars.

06 The children should receive / have received education for creativity. It is a pity that they did not.

07 Most Mexican Americans eat more spicy food than do / are most Swedish Americans.

08 Teresa must / could have lived in an English-speaking country because she speaks English very well.

09 Consumers also reduce uncertainty by buying the same brand that they were / did the last time.

10 When early humans saw changes in the moon, they must / should have wondered why it looked different every night.

Chapter 09 Review

⚑ p.08

[01 – 10] 다음 중 알맞은 것을 고르시오.

01 Jack felt more relieved than he was / did before leaving the school.

02 She looks tired. She must / should have stayed up all night.

03 You must / should have thought twice before you said yes.

04 A lot of students demand that they are / be allowed to wear whatever hair styles they want.

05 The theater was fully booked. We should make / have made a reservation the day before.

06 Some were based on stories he had heard as a child, while others were / did his own inventions.

07 He insisted that he took / take some rest for his health and his family.

08 They did not use their guns much except when they were / did for saving lives.

09 She must forget / have forgotten to pick me up at noon yesterday.

10 The man required that each member attended / attend the meeting.

수동태

The
Passive

어휘를 알면 **구문이 보인다!**

POINT 088

☐ extra	여분의
☐ store	저장하다
☐ timid	소심한
☐ display	보여주다
☐ comparatively	비교적
☐ use up	~을 다 쓰다
☐ instead of	~ 대신에
☐ exchange	교환하다
☐ document	문서
☐ crop	농작물

POINT 089

☐ for short	줄여서
☐ conflict	갈등, 다툼
☐ value	가치
☐ lung	폐
☐ chest	가슴
☐ be familiar with	~에 익숙하다
☐ palace	궁전
☐ historical	역사적인
☐ attend	참석하다
☐ auditorium	강당

POINT 090

☐ leading role	주연
☐ report card	성적표
☐ an amount of	많은
☐ immediate	즉각적인
☐ access	접근, 접속

★ 모르는 단어에 체크하고, 소리 내어 10번만 뜻과 함께 말해 보세요.

[01 – 20] 다음 빈칸에 알맞은 우리말 뜻이나 단어를 쓰시오.

01 value _____

02 palace _____

03 an amount of _____

04 lung _____

05 chest _____

06 auditorium _____

07 extra _____

08 report card _____

09 store _____

10 for short _____

11 소심한 _____

12 보여주다 _____

13 농작물 _____

14 비교적 _____

15 역사적인 _____

16 참석하다 _____

17 즉각적인 _____

18 접근, 접속 _____

19 문서 _____

20 ~에 익숙하다 _____

수동태 vs. 능동태

If we eat too much, / the extra food turns to fat /

and **is stored** / in our bodies.

↳ store(~을 저장하다)는 타동사, 뒤에 목적어가 없으므로 수동태

우리가 너무 많이 먹는다면 / 여분의 음식은 지방으로 변한다 / 그리고 저장된다 / 우리 신체에
⋯ 만약 우리가 너무 많이 먹는다면, 필요 이상의 음식은 지방으로 변하여 우리의 몸에 저장된다.

Grammar Point

❶ 수동태는 목적어를 취하는 타동사만 가능하다.

❷ 자동사는 수동태가 불가하다.

❸ 먼저 자동사인지 타동사인지 파악하고, 그 다음에 목적어 유무를 파악한다.

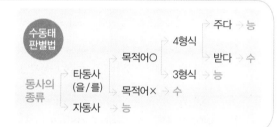

Words & Phrases

extra
여분의

store
저장하다

shy
수줍은

timid
소심한

display
보여주다

comparatively
비교적

use up
~을 다 쓰다

instead of
~ 대신에

exchange
교환하다

document
자료

couch
소파

crop
농작물

🔍 다음 중 알맞은 것을 고르시오.

01 If your cat is shy and timid, he or she won't want to ⟨ display / be displayed ⟩ in cat shows.

02 Such sounds are comparatively clear when they ⟨ carry / are carried ⟩ through the earth.

03 If gases were used up instead of ⟨ exchanging / being exchanged ⟩, living things would die.

04 An English document of the year 900 seems to them to ⟨ write / be written ⟩ in a foreign language.

05 They love to sit on the couch, but if the couch ⟨ is taking / is taken ⟩, they don't mind lying down on the floor.

06 Other patterns can ⟨ find / be found ⟩ in the foods we eat, the way we dress, or the way we grow crops.

[01 – 06] 빈칸에 알맞은 말을 넣으시오.

01

cat과 display는 수동관계, display는 타동사인데 목적어 없음

If your cat is shy and timid, / he or she won't want / to _____ / in cat shows.

당신의 고양이가 수줍어하고 소심하다면 / 그것은 원하지 않을 것이다 / 보여지는 걸 / 고양이 쇼에서

> **해석** 당신의 고양이가 수줍어하고, 소심하다면, 그 고양이는 고양이 쇼에 나가는 걸 원하지 않을 것이다.
>
> **해설** 고양이는 보여지는 대상으로 수동관계이다. 또한 display는 타동사인데 뒤에 목적어가 없으므로 수동태 be displayed 가 적절하다.

02

sounds와 carry는 수동관계, carry는 타동사

Such sounds / are comparatively clear / when they _____ / through the earth.

그런 소리는 / 상대적으로 선명하다 / 그들이 전해질 때 / 땅을 통해서

> **해석** 그런 소리는 땅을 통해서 전해질 때, 상대적으로 선명하다.
>
> **해설** 소리는 전해지는 것이다. carry는 타동사인데 뒤에 목적어가 없으므로 수동태 are carried가 적절하다.

03

gases와 exchange는 수동관계, exchange는 타동사

If gases were used up / instead of _____, / living things / would die.

가스들이 다 소모된다면 / 교환되는 것 대신에 / 살아있는 생명체는 / 죽을 것이다.

> **해석** 가스들이 교환되는 것 대신에 다 소모된다면, 살아있는 생명체는 죽을 것이다.
>
> **해설** gases는 교환되어지는 것이므로 수동관계이다. 또한 exchange는 타동사인데 뒤에 목적어가 없으므로 수동태 being exchanged가 적절하다.

04

S   V   document와 write는 수동관계, write는 타동사

An English document / of the year 900 / seems to them / to _____ / in a foreign language. 영어 문서는 / 900년의 / 그들에게 있어 / 쓰여진 것 같다 / 외국어로

> **해석** 900년의 영어 문서는 그들에게 있어 외국어로 쓰여진 것 같다.
>
> **해설** document는 쓰여지는 것이므로 수동관계이다. 또한 동사 write는 타동사인데 뒤에 목적어가 없으므로 수동태 be written 이 적절하다.

05

They love to sit / on the couch, / but if the couch _____, / they don't mind / lying down on the floor. 그들은 앉기를 좋아한다 / 소파에 / 하지만, 만약 소파가 점유되어 있다면 / 그들은 개의치 않는다 / 바닥에 눕는 것을

> **해석** 그들은 소파에 앉기를 좋아한다. 하지만, 만약 소파가 차지되었다면, 그들은 흔쾌히 바닥에 눕는다.
>
> **해설** couch는 점유되어지는 것이므로 수동관계이다. 또한 take는 타동사인데 뒤에 목적어가 없으므로 수동태 is taken이 적절하다.

06

Other patterns can _____ / in the foods / we eat, / the way / we dress, or the way / we grow crops. 다른 패턴들은 발견될 수 있다 / 음식에서 / 우리가 먹는 / 방식에서 / 우리가 입는 / 또는 방식에서 / 우리가 작물을 키우는

> **해석** 다른 패턴들은 우리가 먹는 음식과 우리가 입는 방식, 또는 우리가 작물을 키우는 방식에서 발견될 수 있다.
>
> **해설** patterns는 발견되는 것이므로 수동관계이다. 또한 find는 타동사인데 뒤에 목적어가 오지 않으므로 수동태 be found가 적절하다.

대표적인 수동태 구문

be called '~라고 불리다'로 자주 쓰이는 표현이다.

Her name is Meggie, / and she **is called** Meg / for short.

Meg라는 명사가 오지만, 목적격 보어로 남아있는 것이다.
= People call her Meg for short.

그녀의 이름은 메기이다 / 그리고 그녀는 멕이라고 불린다 / 줄여서
⟶ 그녀의 이름은 메기이고, 줄여서 멕이라고 불린다.

Grammar Point

※ 다음은 수동태 형태로 자주 보이는 것들이다.

be allowed to ~이 허용되다	**be based on** ~에 근거를 두다
be faced with ~에 직면하다	**be called** ~로 불리다
be born 태어나다	**be given** ~을 받다
be held ~이 열리다	**be named** ~라는 이름을 가지다
be placed ~에 위치하다	**be seated** ~에 앉다
be taught ~을 배우다	

다음 중 알맞은 것을 고르시오.

01 Many of them often face / are faced with the conflict between two necessary values.

02 The heart places / is placed between the two lungs in the middle of the chest.

03 The Philippines named / was named after a Spanish king, so we are familiar with its name.

04 This palace considers / is considered one of the oldest historical places in Korea.

05 You are invited to attend a special presentation that will hold / be held at our school auditorium on April 16th.

06 Please come to the hall and seated / be seated before the event begins.

Words & Phrases

for short
줄여서

conflict
갈등, 다툼

value
가치

lung
폐

chest
가슴

be familiar with
~에 익숙하다

palace
궁전

historical
역사적인

attend
참석하다

auditorium
강당

[01 - 06] 빈칸에 알맞은 말을 넣으시오.

01

Many of them / often _____ with / the conflict / between two necessary values.

그들 중 많은 이들은 / 종종 직면하고 있다 / 갈등과 / 두 개의 필요한 가치들 사이의

해석 그들 중 많은 이들은 두 개의 필요한 가치 사이의 갈등에 종종 직면한다.

해설 with가 있으면 수동태 형태로 쓰이므로 are faced가 적절하다. * face = be faced with: ~에 직면하다

02

The heart _____ / between the two lungs / in the middle of the chest.

심장은 위치한다 / 두 개의 폐 사이에 / 가슴 중앙에서

해석 심장은 가슴 가운데 두 개의 폐 사이에 위치한다.

해설 place는 타동사인데 뒤에 목적어가 없다. 따라서 수동태 is placed가 적절하다. * be placed: ~에 위치하다

03

The Philippines _____ / after a Spanish king, / so we are familiar with its name.

필리핀은 이름이 붙어졌다 / 스페인의 왕으로부터 / 그래서 우리는 그 이름에 익숙하다

해석 필리핀은 스페인의 왕의 이름을 땄다. 그래서 우리는 그 이름에 익숙하다.

해설 name은 타동사인데 뒤에 목적어가 없다. 따라서 수동태 was named가 적절하다. * name A B: A에게 B라는 이름을 붙이다, be named B: B라는 이름을 가지다

04

This palace _____ / one of the oldest historical places / in Korea.

이 궁전은 간주된다 / 가장 오래된 역사적인 장소 중 하나로 / 한국에서

해석 이 궁전은 한국에서 가장 오래된 역사적인 장소 중 하나로 간주된다.

해설 consider는 타동사인데 뒤에 목적어가 없다. 따라서 수동태 is considered가 적절하다. * consider A (as) B: A를 B로 간주하다   be considered (as) B: B로 간주되다

05

You are invited / to attend a special presentation / that will _____ / at our school auditorium / on April 16th.

당신은 초대되었다 / 특별한 발표회에 참가하도록 / 열리는 / 우리 학교 강당에서 / 4월 16일에

해석 당신은 4월 16일 학교 강당에서 열리는 특별한 발표회에 참가하도록 초대되었습니다.

해설 be held는 '~가 개최되다'를 의미한다. 따라서 be held가 적절하다 *hold+행사: 행사를 개최하다

06

Please come to the hall / and _____ / before the event begins.

연회실로 오세요 / 그리고 자리에 앉아 주세요 / 행사가 시작하기 전에

해석 연회실로 오셔서 행사가 시작하기 전에 착석해주세요.

해설 seat는 타동사인데 뒤에 목적어가 없다. 따라서 수동태 be seated가 적절하다. * be seated = sit 앉다

POINT 090 4형식 수동태

뒤에 목적어인 **fresh popcorn**이 나오지만 내용상 '받다'이므로 수동태이다.

The results showed / that moviegoers / [who **were given** fresh popcorn] ate 45.3% more popcorn.

결과는 보여주었다 / 영화관람객들은 / 신선한 팝콘을 받은 / 45.3% 더 많은 팝콘을 먹었다는 것을
··· 결과에 따르면 신선한 팝콘을 제공 받은 영화 관람객들은 45.3% 더 많은 팝콘을 먹었다.

Grammar Point

❶ 4형식 동사는 목적어가 2개이므로 수동태에서도 동사 뒤에 목적어가 존재한다.
❷ '주다'의 의미일 경우 '능동', '받다'의 의미일 경우 '수동'

다음 중 알맞은 것을 고르시오.

01 He was offering / was offered the leading role in the new movie.

02 She asked / was asked some embarrassing questions by the students.

03 The students were teaching / were taught math and English at school.

04 The test is over. You will send / be sent your report cards next Monday.

05 One group was paid very well for its time, but the other gave / was given a small amount of cash.

06 Today the Internet has given / been given people around the world immediate access to the cultures of other societies.

Words & Phrases

result
결과

moviegoer
영화보러가는 사람

fresh
신선한

leading role
주연

be over
끝나다

report card
성적표

an amount of
많은

immediate
즉각적인

access
접근, 접속

[01 – 06] 빈칸에 알맞은 말을 넣으시오.

01

제안받다

He _____ / the leading role / in the new movie.

그는 제안 받았다 / 주연을 / 새 영화에서

해석 그는 새 영화에서 주연을 제안 받았다.

해설 뒤에 목적어가 나오지만, 내용상 '역할을 받다'의 내용이므로 수동태인 was offered가 적절하다.

02

질문을 받다

She _____ / some embarrassing questions / by the students.

그녀는 질문을 받았다 / 몇 가지 당황스러운 질문을 / 학생들로부터

해석 그녀는 학생들로부터 몇 가지 당황스러운 질문을 받았다.

해설 뒤에 목적어가 나오지만, 내용상 '질문을 받다'의 내용이므로 수동태인 was asked가 적절하다.

03

배우다

The students _____ / math and English / at school.

학생들은 배웠다 / 수학과 영어를 / 학교에서

해석 학생들은 학교에서 수학과 영어를 배웠다.

해설 뒤에 목적어가 나오지만, 내용상 '수학과 영어를 배우다'의 내용이므로 수동태인 were taught가 적절하다.

04

전달받다

The test is over. / You will _____ / your report cards / next Monday.

시험은 끝났다 / 너희들은 전달받을 것이다 / 성적표를 / 다음 주 월요일에

해석 시험이 끝났다. 너희들은 다음 주 월요일에 성적표를 전달받을 것이다.

해설 뒤에 목적어가 나오지만, 내용상 '전달받다'의 내용이므로 수동태인 be sent가 적절하다.

05

받다

One group was paid / very well / for its time, / but the other _____ / a small amount of cash. 한 그룹이 돈을 받았다 / 매우 잘 / 시간에 대해 / 하지만, 다른 그룹은 받았다 / 소액의 현금을

해석 한 그룹은 일한 시간에 대한 좋은 보수를 받았지만, 다른 그룹은 소액의 현금을 받았다.

해설 뒤에 목적어가 나오지만, 내용상 '받다'의 내용이므로 수동태인 was given이 적절하다.

06

V   IO   DO

Today the Internet / has _____ people / around the world / immediate access / to the cultures of other societies.

오늘날 인터넷은 / 사람들에게 주고 있다 / 전 세계의 / 즉각적인 접속을 / 다른 사회의 문화에 대한

해석 오늘날 인터넷은 전 세계의 사람들에게 다른 사회의 문화에 대한 즉각적인 접근을 제공해오고 있다.

해설 뒤에 목적어가 모두 나오므로 능동태 문장이다. 따라서 현재완료 has p.p.로 given이 적절하다.

Point (088~090) Review

p.09

[01–10] 다음 중 알맞은 것을 고르시오.

01 You won't | notice / be noticed | if you shyly whisper at the corner.

02 A lot of windows | placed / were placed | in order to provide fresh air.

03 Corn has many small grains, and | uses / is used | as food for farm animals as well as for humans.

04 When the Olympics returned to Greece in 2004, every medal winner | gave / was given | an olive wreath along with his or her medals.

05 You won't feel pressured to be | doing / done | something all the time.

06 Many libraries | named / were named | after presidents, and this is one of them.

07 Research should | evaluate / be evaluated | by other members before it is applied or made public.

08 We're | looking / looked | for a boy named Jim that ran away.

09 Jim | taught / was taught | math at school, and his teachers praised his creative thinking.

10 Flowers are often presented for a celebration such as birthdays and | give / given | to mothers on Mother's Day by children.

 어휘를 알면 **구문이 보인다!**

체크! Words & Phrases

POINT 091

☐ complete	완료하다
☐ explain	설명하다
☐ expectation	기대, 예상
☐ aware of	~을 아는
☐ range	범위
☐ goods	물건
☐ customer	고객
☐ purchase	구매
☐ motivate	동기를 주다
☐ strategy	전략
☐ reduce	줄이다

POINT 092

☐ enter	들어가다
☐ stream	개울
☐ glacier	빙하
☐ observe	관찰하다

POINT 093

☐ fist	주먹
☐ chimney	굴뚝
☐ gut	내장
☐ endangered	멸종위기의
☐ species	종
☐ situation	상황
☐ greed	탐욕
☐ composition	작곡
☐ bias	선입견
☐ minimize	최소화하다

★ 모르는 단어에 체크하고, 소리 내어 10번만 뜻과 함께 말해 보세요.

[01 – 20] 다음 빈칸에 알맞은 우리말 뜻이나 단어를 쓰시오.

01 stream _____

02 glacier _____

03 fist _____

04 range _____

05 purchase _____

06 bias _____

07 chimney _____

08 species _____

09 expectation _____

10 aware of _____

11 내장 _____

12 관찰하다 _____

13 탐욕 _____

14 작곡 _____

15 전략 _____

16 줄이다 _____

17 멸종위기의 _____

18 최소화하다 _____

19 완료하다 _____

20 동기를 주다 _____

5형식 수동태

뒤에 목적어가 없으므로 수동태가 온다.　　　　　　　이것은 목적격 보어

Your children should not **be expected** / to be perfect / in every way.

여러분의 아이들은 기대되어서는 안 된다 / 완벽해야 한다고 / 모든 면에서

⋯ 여러분의 아이들은 모든 면에 있어서 완벽해야 한다고 기대되어서는 안 된다.

Grammar Point

❶ 5형식의 수동태에서 동사 뒤에 놓인 것은 목적격 보어이므로 주의하자.

❷ 자주 나오는 5형식 수동태 구문

be allowed to ~이 허용되다	be required to ~이 요구되다
be expected to ~이 기대되다	be asked to ~이 요구되다
be called B B라고 불리다	be considered B B라고 간주되다

Words & Phrases

complete
완료하다

excitedly
흥분되어

explain
설명하다

expectation
기대, 예상

aware of
~을 아는

range
범위

goods
물건

customer
고객

compare
비교하다

purchase
구매

motivate
동기를 주다

strategy
전략

reduce
줄이다

다음 중 알맞은 것을 고르시오.

01 Students will [require / be required] to complete a science report on the animal of their choice by next Wednesday morning.

02 She excitedly explained that it was a bad idea to meet at that corner because people [don't allow / aren't allowed] to stand there.

03 Teenagers [expect / are expected] to go to bed earlier than adults do, but this expectation might be wrong.

04 When they [make / are made] aware of a whole range of goods, customers are able to compare them and make purchases.

05 Customers are usually [motivated / motivating] to use a lot of strategies to reduce risk.

06 Students were able to help themselves to coffee and [asked / were asked] in return to leave fifty cents as payment.

[01 – 06] 빈칸에 알맞은 말을 넣으시오.

01

┌── 타동사+목적어 X
Students will _____ / to complete a science report / on the animal of their choice / by next Wednesday morning. 학생들은 요구받을 것이다 / 과학 보고서를 완료하도록 / 선택한 동물에 대한 / 다음 주 수요일 아침까지

해석 학생들은 다음 주 수요일 아침까지 그들이 선택한 동물에 대한 과학 보고서를 완료해야 한다.

해설 require는 타동사인데 뒤에 목적어가 없이 목적격 보어 to부정사만 있으므로 수동태 be required가 적절하다.

02

┌── 가주어 – 진주어 ──┐
She excitedly explained / that it was a bad idea / to meet at that corner / because people _____ / to stand there.
그녀는 흥분하며 설명했다 / 나쁜 생각이라고 / 구석에서 만나는 것은 / 왜냐하면 사람들은 허용되지 않는다 / 거기에 서있는 게

해석 그녀는 사람들이 구석에 서있는 것이 허용되지 않기 때문에 거기서 만나는 것은 나쁜 생각이라고 흥분하며 설명했다.

해설 allow는 타동사인데 뒤에 목적어가 없이 목적격 보어 to부정사만 있으므로 수동태 aren't allowed가 적절하다.

03

┌── 타동사+목적어 X
Teenagers _____ / to go to bed earlier / than adults do, / but this expectation might be wrong. 십대들은 예상된다 / 일찍 자러 간다고 / 어른들보다 / 하지만, 이러한 기대는 잘못된 것일지도 모른다

해석 십대들이 어른들보다 더 일찍 자러 간다고 예상되지만, 이러한 기대는 잘못된 것일 수도 있다.

해설 expect는 타동사인데 뒤에 목적어가 없이 목적격 보어 to부정사만 있으므로 수동태 are expected가 적절하다.

04

When they _____ / aware of a whole range of goods, / customers are able to compare them / and make purchases.
그들이 만들어졌을 때 / 모든 범주의 상품들에 대해서 알게 / 고객들은 그것들을 비교할 수 있다 / 그리고 구매할 수 있다

해석 고객들이 모든 범주의 상품을 알게 되었을 때 상품들을 비교하고 구매를 할 수 있다.

해설 make는 타동사인데 뒤에 목적어가 없이 목적격 보어 aware만 있으므로 수동태 are made가 적절하다.

05

Customers are usually _____ / to use a lot of strategies / to reduce risk.
고객들은 보통 동기를 갖게 된다 / 많은 전략을 사용하도록 / 위험요소를 줄이기 위해

해석 고객들은 보통 위험 요소를 줄이기 위해서 많은 전략을 사용하도록 동기화된다.

해설 motivate는 타동사인데 뒤에 목적어가 없으므로 수동태가 되어야 한다. 따라서 motivated가 적절하다.

06

* help oneself to A: A를 마음껏 먹다
Students were able to / help themselves to coffee / and _____ / in return / to leave fifty cents as payment. 학생들은 할 수 있었다 / 마음껏 커피를 마실 수 / 그리고 요청받았다 / 대가로 / 지불 금액으로 50센트를 남겨달라고

해석 학생들은 커피를 마음껏 마실 수 있고, 그 대신 50센트만 내면 되었다.

해설 ask는 타동사인데 뒤에 목적어가 없이 목적격 보어 to부정사만 있으므로 수동태 were asked가 적절하다.

POINT 092

사역 / 지각동사의 수동태

→ 앞에 사역동사 made가 있지만, 수동태라 뒤에는 원형이 올 수 없다

He **was made** / **to go** climbing / on Saturdays / by

↳ go (X)   * go –ing ~ 하러 가다

his father.

그는 하게 되었다 / 등산을 / 토요일마다 / 그의 아버지로 인해

⋯→ 그는 아버지로 인해서 매주 토요일 등산을 하게 되었다.

Grammar Point

❶ 사역동사나 지각동사의 수동태의 경우 목적격 보어로 원형부정사 대신 to부정사를 쓴다.

❷ 목적격 보어가 분사(-ing / -ed)인 경우에는 그대로 사용한다.

🔍 다음 중 알맞은 것을 고르시오.

01 I was made enter / to enter the room by myself.

02 Karen was heard sing / singing The Beatles' *Let It Be*.

03 Unlike a stream, a glacier cannot be seen move / to move .

04 Your bike was seen stolen / to steal last night.

05 The young boy was observed cross / to cross the road by her.

06 His brother was seen come / to come out of the house.

Words & Phrases

go climbing
등산하러 가다

enter
들어가다

stream
개울

glacier
빙하

observe
관찰하다

끊어 읽으면 답이 보인다!

[01 – 06] 빈칸에 알맞은 말을 넣으시오.

01

┌ 사역동사의 수동태

I was made / _____ the room / by myself.

나는 하게 되었다 / 방에 들어가게 / 혼자서

해석 나는 혼자서 방에 들어가게 되었다.

해설 사역동사 make의 수동태로 뒤에 오는 목적격 보어는 원형이 올 수 없으므로 to부정사 to enter가 적절하다.

02

┌ 지각동사의 수동태

Karen was heard / _____ The Beatles' *Let It Be*.

카렌은 들어졌다 / 비틀즈의 Let It Be를 부르는 것을

해석 카렌이 비틀즈의 Let It Be를 부르는 것이 들렸다.

해설 지각동사 hear의 수동태로 뒤에 오는 목적격 보어가 분사일 경우 그대로 사용되므로 singing이 적절하다.

03

┌ 지각동사의 수동태

Unlike a stream, / a glacier cannot be seen / _____.

개울과는 달리 / 빙하는 보여 줄 수 없다 / 움직이는 것을

해석 개울과는 달리 빙하가 움직이는 것을 볼 수 없다.

해설 지각동사 see의 수동태로 뒤에 오는 목적격 보어는 원형이 올 수 없으므로 to부정사 to move가 적절하다.

04

┌ 지각동사의 수동태

Your bike was seen / _____ / last night.

너의 자전거는 목격되었다 / 도난당하는 / 어젯밤에

해석 너의 자전거가 어젯밤에 도난당하는 것이 목격되었다.

해설 지각동사 see의 수동태로 뒤에 오는 목적격 보어가 분사일 경우 그대로 사용되므로 stolen이 적절하다.

05

┌ 지각동사의 수동태

The young boy was observed / _____ the road / by her.

어린 소년은 목격되었다 / 길을 건너는 것을 / 그녀에 의해서

해석 어린 소년이 길을 건너는 것이 그녀에 의해 목격되었다.

해설 지각동사 observe의 수동태로 뒤에 오는 목적격 보어는 원형이 올 수 없으므로 to부정사 to cross가 적절하다.

06

┌ 지각동사의 수동태

His brother was seen / _____ out of the house.

그의 동생은 보여졌다 / 집을 나오는 것을

해석 그의 동생이 집에서 나가는 것이 목격되었다.

해설 지각동사 see의 수동태로 뒤에 오는 목적격 보어는 원형이 올 수 없으므로 to부정사 to come이 적절하다.

POINT 093 수동태로 쓸 수 없는 동사

'resemble(~을 닮다)'라는 상태 동사는 수동태가 불가능한 동사이다.
→ is resembled (X)

The human heart **resembles** / the shape and size of a fist.

인간의 심장은 닮았다 / 주먹의 모양과 크기를
⋯ 사람의 심장은 주먹의 모양과 크기를 닮았다.

Grammar Point

※ 수동태로 쓸 수 없는 동사

happen (일이) 일어나다	**occur** (사건 등이) 생기다, 일어나다	**resemble** ~을 닮다
consist of ~로 구성되다	**lie** 눕다, 놓여 있다	**rise** 오르다, 증가하다
belong (~에) 속하다	**disappear** 사라지다	**exist** 존재하다, 있다
result (결과로서) 생기다	**remain** 남다, (~의 상태로) 여전히 있다	

다음 중 알맞은 것을 고르시오.

01　The smoke from the chimneys was ｜rising / risen｜ high into the air.

02　Our gut bacteria ｜belong / are belonged｜ to the endangered species list.

03　The situation ｜looked / was looked｜ very strange, and no one could understand it.

04　Every year some of these species ｜disappear / are disappeared｜ by humans' greed.

05　It was John Cage's 4'33", the famous musical composition that ｜is consisted of / consists of｜ silence.

06　Although errors and biases always ｜occur / are occurred｜ in science, the open discussion of ideas and results can minimize their effects.

Words & Phrases

fist
주먹

chimney
굴뚝

gut
내장

endangered
멸종위기의

species
종

situation
상황

greed
탐욕

composition
작곡된 음악

bias
선입견

discussion
토의

minimize
최소화하다

[01 – 06] 빈칸에 알맞은 말을 넣으시오.

01

　　　　　　　　　　　　　　　　　　　　┌ 자동사
The smoke from the chimneys / was ＿＿＿＿＿ / high into the air.
굴뚝으로부터 연기가 / 오르고 있었다 / 하늘 높이

해석 굴뚝으로부터 연기가 하늘 위로 올라가고 있었다.
해설 자동사 rise는 수동태가 불가능한 동사이므로 빈칸에는 rising이 적절하다.

02

　　　　　　　　　┌ 자동사
Our gut bacteria / ＿＿＿＿＿ to the endangered species list.
우리 내장 박테리아는 / 멸종 위험 종 목록에 속한다

해석 우리 내장에 사는 박테리아는 멸종 위험 종 목록에 속한다.
해설 자동사 belong은 수동태가 불가능한 동사이므로 빈칸에는 belong이 적절하다.

03

　　　　　　　┌ 자동사
The situation / ＿＿＿＿＿ very strange, / and no one could understand it.
그 상황은 / 매우 이상해 보였다 / 그리고 누구도 그것을 이해할 수 없었다

해석 상황은 매우 이상해 보였으며, 누구도 그것을 이해할 수 없었다.
해설 자동사 look는 수동태가 불가능한 동사로 빈칸에는 looked가 적절하다.

04

　　　　　　　　　　　　　　　　┌ 자동사
Every year / some of these species / ＿＿＿＿＿ / by humans' greed.
매년 / 이러한 종들의 일부가 / 사라진다 / 인간의 탐욕에 의해서

해석 매년 이 종의 일부가 인간의 탐욕에 의해서 사라진다.
해설 자동사 disappear는 수동태가 불가능한 동사로 빈칸에는 disappear가 적절하다.

05

　　　　　　　　　　　　　　　　　　　　　　　　　　　　┌ 자동사
It was John Cage's 4'33", / the famous musical composition / that ＿＿＿＿＿ silence.
그것은 존 케이지의 4'33" 이었다 / 유명한 곡인 / 묵음으로 이루어진

해석 그것은 묵음으로 이루어진 유명한 곡인 존 케이지의 4'33"이었다.
해설 consist of는 수동태가 불가능한 동사이므로 빈칸에는 consists of가 적절하다.

06

　　　　　　　　　　　　　　　　┌ 자동사
Although errors and biases / always ＿＿＿＿＿ in science, / the open discussion of ideas and results / can minimize their effects.
비록 오류와 선입견이 / 과학에서 언제나 발생하지만 / 아이디어와 결과에 대한 열린 토론은 / 그것의 영향을 최소화할 수 있다.

해석 오류와 선입견이 항상 과학에서 발생함에도 불구하고, 아이디어와 결과에 대한 열린 토론은 그 영향을 최소화할 수 있다.
해설 자동사 occur는 수동태가 불가능한 동사이므로 빈칸에는 occur가 적절하다.

[01–10] 다음 중 알맞은 것을 고르시오.

01 Because the accident occurred, the bus driver asked / was asked to slow down.

02 The documents and files should keep / be kept confidential by the company.

03 All children expected / were expected to attend school for some time when they were between 16 and 20 years old.

04 Participants are telling / told to listen to the words being sent to one ear and to repeat them aloud.

05 A thicker product may perceive / be perceived as tasting richer or stronger simply because it is thicker.

06 People in the front seats usually belong / are belonged to forward thinkers.

07 Many young children are punished / punishing for behavior which is developmentally appropriate.

08 People asked / were asked to assess the value of coffee cups which had been given to them.

09 Charlie's uncle made a good living from the farm that consisted / was consisted of fewer than one hundred pigs.

10 Speaking in class takes / is taken as intellectual engagement and meaning-making in U.S. classrooms.

Chapter 10 Review

p.11

[01–10] 다음 중 알맞은 것을 고르시오.

01 When you go swimming, you are always telling / told to be careful.

02 Some of the flavors of old-fashioned breads lost / were lost as baking became more industrialized.

03 The parent on leave allow / is allowed to continue with unpaid leave.

04 There were many things that demanded / were demanded my time and energy.

05 If the camera stays on them long, the audience will check to see if they are still watching / being watched.

06 People are quite good at repeating the words that spoke / are spoken to them.

07 Our baby named / was named after a flower. That's why her name is beautiful.

08 If the requirements posted / are posted on the bulletin board, it will be easy to see them.

09 Natural disasters, such as volcanic eruptions, fires, and floods, happen / are happened every year.

10 Millions of dollars are spending / spent each year trying to teach managers how to coach their employees.

관계사

Relatives

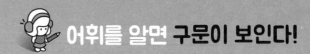
어휘를 알면 **구문이 보인다!**

체크! Words & Phrases

POINT 094

☐ businessman	사업가
☐ cheer	기운을 주다
☐ professional	전문적인
☐ explore	탐험하다
☐ exact	정확한
☐ opposite	정반대
☐ knowledge	지식
☐ bite	물다
☐ sudden	갑작스런
☐ attract	끌어당기다
☐ attention	관심
☐ pass by	지나가다

POINT 095

☐ take a look at	~을 보다
☐ be greeted	환영받다
☐ delighted	기쁜
☐ come into contact with	~와 만나다
☐ day-to-day life	일상생활

POINT 096

☐ patient	환자
☐ economic	경제의
☐ historian	역사가
☐ consider	~라고 여기다
☐ slang	속어
☐ publisher	출판업자
☐ material	재료
☐ contain	포함하다

★ 모르는 단어에 체크하고, 소리 내어 10번만 뜻과 함께 말해 보세요.

[01 - 20] 다음 빈칸에 알맞은 우리말 뜻이나 단어를 쓰시오.

01 be greeted _____

02 delighted _____

03 patient _____

04 economic _____

05 slang _____

06 professional _____

07 sudden _____

08 attract _____

09 opposite _____

10 historian _____

11 기운을 주다 _____

12 지식 _____

13 물다 _____

14 지나가다 _____

15 탐험하다 _____

16 정확한 _____

17 ~와 만나다 _____

18 출판업자 _____

19 재료 _____

20 포함하다 _____

사람 선행사 + who

관계사의 수식을 받는 선행사가 사람

Armand Hammer was **a great businessman** / [**who**

died in 1990 / at the age of ninety-two].

아먼드 해머는 위대한 사업가였다 / 1990년에 죽은 / 92세의 나이로

···→ 아먼드 해머는 1990년에 92세의 나이로 사망한 훌륭한 사업가였다.

Grammar Point

❶ 관계사의 수식을 받는 선행사가 사람이라면 who/whom/whose/that을 사용한다.

❷ 관계사절 내에서 주어가 없다면 who, 목적어가 없다면 who(m), 소유격이 없다면 whose를 사용한다.

❸ that은 who와 whom을 대신할 수 있다.

Words & Phrases

businessman
사업가

professional
전문적인

cheer
기운을 주다

explore
탐험하다

exact
정확한

opposite
정반대

knowledge
지식

bite (bite-bit-bitten)
물다

sudden
갑작스런

attract
끌어당기다

attention
관심

pass by
지나가다

다음 중 알맞은 것을 고르시오.

01 It's great to have people in your life who / which believe in you and cheer you on.

02 You're the only artist in the world who / which can draw the way you do.

03 The experience of professional backpackers who / which have explored every corner of the world teaches us the exact opposite.

04 Knowledge has value only in the hands of someone which / who has the ability to think well.

05 Cann's mother was called Cleopatra after the queen of Egypt who / which was bitten by a snake.

06 The sudden noise attracted the attention of a hunter who / which happened to be passing by.

[01-06] 빈칸에 알맞은 말을 넣으시오.

01 ┌ 가주어-진주어 구문 ┐

It's great / to have people in your life / _____ believe in you / and cheer you on.

대단하다 / 여러분의 삶에서 사람을 가지는 것은 / 여러분을 믿고 / 여러분을 응원해주는

해석 여러분을 믿고, 여러분을 응원해주는 사람들을 인생에서 가지는 것은 대단하다.

해설 관계사절이 수식하는 대상은 앞에 있는 your life가 아니라 people이고, 관계사절에서 주어가 없으므로 주격관계사 who가 적절하다.

02

You're the only artist / in the world / _____ can draw the way / you do.

당신은 유일한 예술가이다 / 세상에서 / 그러한 방식으로 그릴 수 있는 / 당신이 하는

해석 당신은 당신이 하는 방식대로 그림을 그릴 수 있는 세상에서 유일한 예술가이다.

해설 관계사절이 수식하는 대상은 the world가 아니라 artist이고, 관계사절에서 주어가 없으므로 주격관계사 who가 적절하다.

03 S

[The experience of professional backpackers / _____ have explored every corner

V

of the world] / teaches us the exact opposite.

전문적인 배낭여행객들의 경험은 / 세계의 구석구석을 탐험해온 / 우리에게 정확한 반대의 사실을 가르친다

해석 세계의 구석구석을 탐험해온 전문적인 배낭여행객들의 경험은 우리에게 정반대의 사실을 가르쳐준다.

해설 관계사절의 선행사는 professional backpackers(사람)이며, 관계사절에 주어가 없으므로 who가 적절하다.

04

Knowledge has value / only in the hands of someone / _____ has the ability to

think well. 지식은 가치를 지닌다 / 오직 누군가의 손에서만 / 잘 생각하는 능력을 가진

해석 지식은 잘 생각하는 능력을 지닌 누군가의 손에서만 가치를 지닌다.

해설 관계사절의 선행사는 someone(사람)이며, 관계사절이 주어가 없으므로 who가 적절하다.

05

Cann's mother / was called Cleopatra / after the queen of Egypt / _____ was bitten

by a snake. 칸의 엄마는 / 클레오파트라라고 불렸다 / 이집트 여왕의 이름을 따서 / 뱀에게 물렸던

해석 칸의 엄마는 뱀에게 물렸던 이집트 여왕의 이름을 따서 클레오파트라라고 불렸다.

해설 관계사절의 선행사는 Egypt가 아니라 the queen(사람)이며, 관계사절에 주어가 없으므로 who가 적절하다.

06 S V

The sudden noise / attracted the attention of a hunter / _____ happened to be

passing by. 갑작스런 소리는 / 한 사냥꾼의 관심을 끌었다 / 우연히 지나가던

해석 그 갑작스런 소리는 우연히 지나가던 한 사냥꾼의 관심을 끌었다.

해설 관계사절의 선행사는 a hunter(사람)이며, 관계사절에 주어가 없으므로 who가 적절하다.

목적격 관계대명사 whom

You should take a careful look at / the people / **with whom** you work.

앞에 전치사가 나오므로 목적격이 와야한다.
사람이므로 whom이 온다. with who(X) with that (X)

당신은 주의 깊게 봐야만 한다 / 사람들을 / 당신과 함께 일하는

⋯→ 당신은 함께 일하는 사람들을 주의 깊게 봐야만 한다.

Grammar Point

❶ 사람을 나타내고 목적격일 경우 보통 whom을 사용하나, who도 쓸 수 있다.
He was my student who[whom] I had taught **3** years ago.
❷ 전치사 바로 뒤에는 **whom**을 써야 한다. (who, that 모두 불가)

다음 중 알맞은 것을 고르시오.

01 There are children | who / whom | don't want to learn to read.

02 Jasmine was with her friend | whom / whose | I had already known.

03 A friend | whose / whom | I hadn't talked to for twenty years called me yesterday.

04 Jefferson is a good teacher | whose / whom | we can depend on in a hard time.

05 At school, we were greeted by the students, most of | who / whom | looked happy and delighted.

06 He has so many teachers with | who / whom | he comes in contact in his day-to-day life.

Words & Phrases

take a look at
~을 보다

be greeted
환영받다

delighted
기쁜

come in contact with
~와 만나다

day-to-day life
일상생활

[01 – 06] 빈칸에 알맞은 말을 넣으시오.

01

There are children / _____ don't want to learn to read.
아이들이 있다 / 읽기를 배우지 않으려는

해석 읽는 법을 배우지 않으려는 아이들이 있다.

해설 관계사절의 선행사는 children(사람)이며, 관계사절에 주어가 없으므로 who가 적절하다.

02

목적어 X

Jasmine was with her friend / _____ I had already known.
재스민은 그녀의 친구와 함께 있었다 / 내가 벌써 알고 있었던

해석 재스민은 내가 이미 알고 있었던 친구와 함께 있었다.

해설 관계사절의 선행사는 her friend(사람)이며, 관계사절에 목적어가 없으므로 who(m)이 적절하다.

03

S   전치사의 목적어   V

[A friend / _____ I hadn't talked to / for twenty years] / called me yesterday.
한 친구는 / 내가 이야기하지 않았던 / 20년 동안 / 나에게 어제 전화했다

해석 내가 20년 동안 이야기하지 않았던 한 친구가 어제 나에게 전화했다.

해설 관계사절의 선행사는 a friend(사람)이며, 관계사절에 전치사 to의 목적어가 없으므로 who(m)이 적절하다.

04

전치사의 목적어

Jefferson is a good teacher / _____ we can depend on / in a hard time.
제퍼슨은 좋은 선생님이다 / 우리가 의존할 수 있는 / 어려운 시기에

해석 제퍼슨은 우리가 어려운 시기에 의존할 수 있는 좋은 선생님이다.

해설 관계사절의 선행사는 a good teacher(사람)이며, 관계사절에 전치사 on의 목적어가 없으므로 who(m)이 적절하다

05

전치사 뒤에 옴

At school, / we were greeted / by the students, / most of _____ looked happy and delighted.
학교에서 / 우리는 환영 받았다 / 학생들에 의해서 / 그들 중 대부분은 행복하고 즐거워 보였다

해석 학교에서 우리는 학생들에 의해서 환영 받았는데, 그들 중 대부분은 행복하고 즐거워 보였다.

해설 관계사절의 선행사는 the students(사람)이며, 전치사 of의 목적어 자리이므로 whom이 와야 한다.

06

S V

He has so many teachers / with _____ he comes in contact / in his day-to-day life.
그는 매우 많은 선생님들이 있다 / 그가 관계를 맺는 / 그의 매일의 삶에서

해석 그는 매일의 삶에서 관계를 맺는 매우 많은 선생님들이 있다.

해설 관계사절의 선행사는 so many teachers(사람)이며, 전치사 with의 목적어 자리이므로 whom이 와야 한다. 원래는 'he comes in contact with'인데 선행사와 함께 전치사 with가 앞으로 나간 경우이다.

096 소유격 관계대명사 whose

They were called "teddy bears" / after President
Roosevelt, / [whose nickname was Teddy].
→ 명사

그것들은 테디베어라고 불렸다 / 루즈벨트 대통령의 이름을 따서 / 그의 별명은 테디였다
⋯ 그것들은 루즈벨트 대통령의 이름을 따서 "테디베어"라고 불렸는데, 그의 별명은 테디였다.

Grammar Point

❶ 소유격 관계대명사 whose는 선행사의 소유격으로 해석을 하면 된다.
❷ whose 뒤에는 명사가 따라온다. whose nickname = his nickname

| whose | + | 명사 |

다음 중 알맞은 것을 고르시오.

Words & Phrases

patient
환자

economic
경제의

historian
역사가

consider
~라고 여기다

slang
속어

goat
염소

publisher
출판업자

material
재료

contain
포함하다

01 Success was greater in those patients whose / whom partners had also lost weight.

02 He was an economic historian whose / which work centered on the study of business history.

03 The word "kid" was once considered slang because it came from a word which / whose meaning was a young goat.

04 Most publishers will not want to waste time with writers whose / who material contains too many errors.

05 Martin Luther King Jr. and Princess Diana are examples of people who / whose power came from their charisma.

[01-05] 빈칸에 알맞은 말을 넣으시오.

01

Success was greater / in those patients / ＿＿＿＿＿ partners had also lost weight.

성공은 더 컸다 / 그러한 환자들에게서 / 환자들의 파트너들은 마찬가지로 살이 빠졌다

해석 파트너와 같이 살을 뺀 환자들에게서 성공은 더 컸다.

해설 뒤에 명사 partners가 바로 오는데 those patients와 partners의 관계상 소유격 관계사 whose가 적절하다.

02

He was an economic historian / ＿＿＿＿＿ work centered on / the study of business history.

그는 경제 역사가였다 / 그 사람의 일은 집중했다 / 비즈니스 역사 연구에

해석 그는 비즈니스 역사 연구에 집중한 경제 역사가였다.

해설 뒤에 명사 work가 바로 오는데 an economic historian과 work의 관계상 소유격 관계사 whose가 적절하다.

03

S   V

The word "kid" / was once considered slang / because it came from a word / ＿＿＿＿＿ meaning was a young goat.

'kid'라는 단어는 / 한때 속어로 간주되었다 / 왜냐하면 그것은 단어로부터 와서 / 그 의미가 어린 염소였던

해석 'kid'라는 단어는 한때 속어로 간주되었는데, 그 단어의 의미가 어린 염소였던 단어로부터 왔기 때문이다.

해설 뒤에 명사 meaning이 나오는데 the word와 meaning의 관계상 소유격 관계사 whose가 적절하다.

04

S   V

Most publishers / will not want to waste time / with writers / ＿＿＿＿＿ material contains too many errors.

대부분의 출판업자들은 / 시간을 낭비하기를 원하지 않을 것이다 / 작가들과 / 그 작가들의 작품이 너무 많은 오류를 포함하는

해석 대부분의 출판업자들은 작품이 너무 많은 오류를 포함하는 작가들과 함께 하는 데 시간을 낭비하고 싶어 하지 않을 것이다.

해설 뒤에 명사 material이 나오는데, writers와 material의 관계상 소유격 관계사 whose가 적절하다.

05

Martin Luther King Jr. and Princess Diana / are examples of people / ＿＿＿＿＿ power came from their charisma.

마틴 루터 킹 주니어와 다이애나 비는 / 사람들의 예이다 / 그 사람들의 힘이 그들의 카리스마로부터 나오는

해석 마틴 루터 킹 주니어와 다이애나 비는 그들의 힘이 카리스마로부터 나오는 사람들의 예이다.

해설 뒤에 명사 power가 바로 오는데, people과 power의 관계상 소유격 관계사 whose가 적절하다.

[01-10] 다음 중 알맞은 것을 고르시오.

01 There was a girl | who / whom | grew flowers in New Jersey.

02 The woman with | who / whom | I have worked for 10 years really loves traveling.

03 He held a small child in his arms | whose / that | face I couldn't see.

04 The client | whom / which | we sent the document has not reviewed it yet.

05 The building | whose / which | windows are bright at night is their school library.

06 Each person is surrounded by five others | who / which | are doing nothing.

07 The woman to | who / whom | you talked on Sunday was my sister.

08 His younger sister gave me this scarf | which / whose | price is high.

09 I once worked with a group of students in the final year of high school, | who / which | listened out for the slang used in their school.

10 The first prize goes to the team | which / whose | performance TV viewers and the judges like best.

어휘를 알면 **구문이 보인다!**

체크! Words & Phrases

POINT 097

☐ purchase	구매하다
☐ tear out	~을 잡아 뜯다
☐ appeal	호소하다
☐ retirement	은퇴
☐ investment	투자
☐ steady	일정한
☐ include	포함하다
☐ unnecessary	불필요한

POINT 098

☐ cause	유발하다
☐ article	기사
☐ impression	인상
☐ unlivable	사람이 살 수 없는
☐ far from	~와는 거리가 먼
☐ fossil fuel	화석연료
☐ release	배출하다
☐ contribute to	~에 기여하다
☐ strength	힘
☐ stamina	체력

POINT 099

☐ consumer	소비자
☐ be unaware of	~을 모르다
☐ be named after	~의 이름을 따다
☐ get access to	~에 접근하다
☐ recognize	인지하다
☐ be willing to	기꺼이 ~ 하려 하다
☐ emotional	감정적인

★ 모르는 단어에 체크하고, 소리 내어 10번만 뜻과 함께 말해 보세요.

[01 - 20] 다음 빈칸에 알맞은 우리말 뜻이나 단어를 쓰시오.

01 fossil fuel _____

02 cause _____

03 article _____

04 investment _____

05 emotional _____

06 purchase _____

07 recognize _____

08 release _____

09 be unaware of _____

10 be willing to _____

11 인상 _____

12 ~에 기여하다 _____

13 ~에 접근하다 _____

14 소비자 _____

15 ~의 이름을 따다 _____

16 호소하다 _____

17 은퇴 _____

18 체력 _____

19 ~와는 거리가 먼 _____

20 사람이 살 수 없는 _____

097

사람 아닌 선행사 + which

수식을 받는 선행사 two tickets는 사람이 아니다.

We purchased **two tickets** / **which came to a total of $44**.

우리는 두 장의 표를 구매했다 / 전체가 44달러가 되었다

⋯ 우리는 전체 44달러인 두 장의 표를 구매했다.

Grammar Point

❶ 수식을 받는 선행사가 사람이 아닌 경우, which를 사용한다.
❷ 앞 문장 전체를 선행사로 받기도 한다.
❸ 관계대명사이므로 뒤에는 당연히 불완전한 문장이 온다.

🔍 다음 중 알맞은 것을 고르시오.

Words & Phrases

purchase
구매하다

slang
비속어

tear out
~을 잡아 뜯다

appeal
호소하다

retirement
은퇴

investment
투자

provide
제공하다

steady
일정한

include
포함하다

unnecessary
불필요한

01 You will have your local slang [who / which] you use in your school or in your town.

02 His mother tore out a page of a magazine, [which / who] contained a picture of the world.

03 This year, he became a member of Mensa, [who / which] is a club for people with IQ of 148 or above.

04 Have you ever heard a song on the radio [which / where] you didn't like until it started to appeal to you?

05 You are heading toward retirement and need investments [which / what] provide you with a steady income.

06 Don't burden your readers with messages [who / which] are too long or include unnecessary information.

[01 – 06] 빈칸에 알맞은 말을 넣으시오.

01

You will have your local slang / _____ you use / in your school / or in your town.
여러분들은 여러분 지역의 은어를 가지고 있을 것이다 / 여러분이 사용하는 / 여러분의 학교나 / 여러분의 동네에서

해석 여러분은 학교나 동네에서 사용하는 지역의 은어를 가지게 될 것이다.

해설 선행사가 your local slang(사물)이므로 관계사 which가 적절하다.

02

His mother / tore out a page of a magazine, / _____ contained a picture of the
world. 그의 어머니가 / 잡지의 한 페이지를 찢었다 / 그것은 세계의 사진을 포함하고 있다

해석 그의 어머니가 잡지에서 한 장을 찢었는데, 그것은 세계의 사진 한 장을 포함하고 있었다.

해설 which가 의미하는 것은 a page of a magazine(사물)이므로 which가 적절하다.

03

This year, / he became a member of Mensa, / _____ is a club / for people with IQ
of 148 or above. 올해 / 그는 멘사 회원이 되었다 / 그곳은 클럽이다 / IQ가 148 이상인 사람들을 위한

해석 올해 그는 멘사의 회원이 되었는데, 그곳은 IQ가 148 이상인 사람들을 위한 클럽이다.

해설 which가 의미하는 것은 Mensa(사물)이므로 which가 적절하다.

04

Have you ever heard a song / on the radio / _____ you didn't like / until it started to
appeal to you? 당신은 노래를 들어본 적이 있는가 / 라디오에서 / 당신이 좋아하지 않는 / 그것이 당신에게 매력적이게 되기 시작할 때 까지

해석 당신이 좋아하지 않는 노래가 라디오에서 흘러나오는 것을 당신에게 매력적이게 될 때까지 들어본 적이 있는가?

해설 선행사가 a song(사물)이므로 관계사 which가 적절하다.

05

You are heading toward retirement / and need investments / _____ provide you
with a steady income. 당신은 은퇴를 향하고 있다 / 그리고 투자가 필요하다 / 당신에게 일정한 수입을 제공하는

해석 당신은 은퇴를 향하고 있고, 일정한 수입을 제공해주는 투자가 필요하다.

해설 선행사가 investments(사물)이므로 관계사 which가 적절하다.

06

Don't burden your readers / with messages / _____ are too long / or include
unnecessary information. 당신의 독자들에게 짐을 주지 마라 / 메시지를 가지고 / 너무 길거나 / 아니면 불필요한 정보를 포함하는

해석 너무 길거나 아니면 불필요한 정보를 포함하는 메시지를 가지고 독자들에게 짐을 지우지 마라.

해설 선행사가 messages(사물)이므로 관계사 which가 적절하다.

앞 문장이 선행사인 관계사 which

내용상 이 문장 전체가 **which**의 선행사이다.

단수

Everything does happen / for a reason, / which is to

동사의 강조 does

say / that events have causes, / and the cause always

comes / before the event.

모든 일은 발생한다 / 이유가 있어서 / 그리고 그것은 의미한다 / 사건들은 이유를 가진다 / 그리고 그 원인은 항상 온다 / 사건 앞에 … 모든 일은 분명히 이유가 있어 일어난다. 이 말은, 사건에는 원인이 있고, 그 원인은 항상 그 사건에 선행한다는 것을 의미한다.

Grammar Point

❶ 관계사 which는 내용상 앞 문장 전체를 선행사로 받기도 한다.
❷ 관계사 앞의 명사를 무조건 선행사라고 착각하지 말아야 한다.
❸ 문장이 선행사일 때, 관계사절 내의 동사는 단수로 받는다.

Words & Phrases

cause
유발하다

article
기사

impression
인상

unlivable
사람이 살 수 없는

far from
~와는 거리가 먼

provide
제공하다

material
물질

carbon dioxide
이산화탄소

fossil fuel
화석연료

release
배출하다

contribute to
~에 기여하다

strength
힘

stamina
체력

다음 중 알맞은 것을 고르시오.

01 This article may give the impression that Fresno is unlivable,
   which / what is far from the truth.

02 Skate parks provide a safe environment without cars, which
   keep / keeps your board skills excellent.

03 Many children hold corn with both hands while eating, which
   look / looks like playing the harmonica.

04 Light takes a path of least time from point to point, which / that is
   why it bends when passing between different materials.

05 Carbon dioxide gas from burning fossil fuels is released into the air,
   which / what contributes to global warming.

06 The world-class golfers work out in the weight room, which mean / means
   that they have the strength and stamina to win the game.

[01 – 06] 빈칸에 알맞은 말을 넣으시오.

01

앞 문장 전체를 받음

This article may give the impression / that Fresno is unlivable, / _____ is far from the truth. 이 기사는 인상을 줄지도 모른다 / 프레스노는 살기에 적합하지 않다는 / 그런데 이것은 사실과는 거리가 멀다

해석 이 기사는 프레스노가 살기에 적합하지 않다는 인상을 줄 수도 있는데, 이는 사실과 거리가 멀다.

해설 선행사는 앞 문장 전체이므로 관계사 which가 적절하다.

02

S   V   앞 문장 전체를 받음

Skate parks / provide a safe environment / without cars, / which _____ / your board skills excellent. 스케이트 공원은 / 안전한 환경을 제공한다 / 차가 없는 / 그리고 이것은 유지한다 / 당신의 보드 기술을 훌륭한 상태로

해석 스케이트 공원은 차 없는 안전한 환경을 제공하며, 이는 당신의 보드 기술을 훌륭한 상태로 유지해준다.

해설 which가 앞 문장 전체를 받고 있다. 문장 전체가 선행사이므로 단수 동사 keeps가 와야 한다.

03

S   V   앞 문장 전체를 받음

Many children hold corn / with both hands / while eating / , which _____ like playing the harmonica. 많은 아이들이 옥수수를 잡는다 / 양손으로 / 먹는 동안 / 이는 하모니카를 연주하는 것처럼 보인다

해석 많은 아이들이 먹을 때, 양손으로 옥수수를 잡는데, 이는 하모니카를 연주하는 것처럼 보인다.

해설 which가 앞 문장 전체를 받고 있다. 문장 전체가 선행사이며 주어이므로 동사는 단수 동사 looks가 와야 한다.

04

S   V   앞 문장 전체를 받음

Light / takes a path / of least time / from point to point / , _____ is why it bends / when passing between different materials.

빛은 길을 간다 / 최소의 시간으로 / 한 지점에서 다른 지점으로 / 이는 그것이 꺾이는 이유이다 / 다른 물질 사이를 통과할 때

해석 빛은 한 지점에서 다른 지점으로 최소 시간의 길을 가며, 이는 다른 물질 사이를 통과할 때, 빛이 꺾이는 이유이다.

해설 선행사는 앞 문장 전체이므로 관계사 which가 적절하다.

05

S   V   앞 문장 전체를 받음

[Carbon dioxide gas / from burning fossil fuels] / is released into the air, / _____ contributes to global warming. 이산화탄소는 / 화석연료를 태울 때 발생하는 / 대기 중으로 배출된다 / 이는 지구온난화에 기여한다

해석 화석연료를 태울 때 발생하는 이산화탄소는 대기 중으로 배출되며, 이는 지구온난화에 기여한다.

해설 선행사는 앞 문장 전체이므로 관계사 which가 적절하다.

06

S   V   앞 문장 전체를 받음

The world-class golfers / work out in the weight room / , which _____ / that they have the strength and stamina / to win the game.

세계 최고 수준의 골프선수들은 / 체력 단련실에서 운동을 한다 / 이는 의미한다 / 그들이 강함과 체력을 가지고 있다고 / 게임에서 이기기 위한

해석 세계 최고 수준의 골프선수들은 체력 단련실에서 운동을 하며, 이는 그들이 게임에서 이기기 위한 강함과 체력을 가지고 있음을 의미한다.

해설 관계사 which가 앞 문장 전체를 선행사로 받고 있으므로 단수동사 means가 적절하다.

관계대명사의 생략

Many consumers are unaware of / the chemicals
in common products / they use every day.

목적격 관계대명사 which나 that 이 생략되어 있다.

많은 소비자들이 알지 못한다 / 일반적인 제품 속의 화학물질들을 / 그들이 매일 사용하는

⋯ 많은 소비자들은 그들이 매일 사용하는 일반적인 제품 속의 화학 물질들을 알지 못한다.

Grammar Point

❶ 목적격 관계대명사 which, who, whom, that은 생략 가능하다.

❷ 단, 전치사 뒤에 있는 것은 생략할 수 없다.
This is the teacher **on whom** I always depend. 이 분은 내가 항상 의지하는 선생님이시다.

❸ 형용사나 분사 앞에 있는 〈주격 관계대명사+be동사〉는 생략 가능하다.
I know the boy (who is) drinking Coke in front of him.
그 앞에서 콜라를 마시는 소년을 알고 있다.

다음 문장의 밑줄 친 부분에서 생략할 수 있는 것에 ( )표시하고 해석하시오.

01 Tommy is <u>the puppy which my uncle bought from the pet shop</u> for my
10th birthday.

02 Everyone is like a moon and has <u>a dark side that he or she doesn't
show to anyone.</u>

03 Many common French wines are named after <u>the places which the
grapes are grown in.</u>

04 The public library can provide you with <u>a lot of information that you
have not got access to.</u>

05 One day I recognized <u>a beautiful actress who was driving into the
parking lot.</u>

06 Good teachers are willing to reach out a helping hand to <u>a student that
is facing an emotional or an educational problem.</u>

Words & Phrases

consumer
소비자

be unaware of
~을 모르다

be named after
~의 이름을 따다

get access to
~에 접근하다

recognize
인지하다

parking lot
주차장

be willing to
기꺼이 ~ 하려 하다

emotional
감정적인

[01 – 06] 빈칸에 알맞은 말을 넣으시오.

01

which 생략 가능

Tommy is the puppy / _____ my uncle bought from the pet shop / for my 10th birthday. 토미는 강아지이다 / 삼촌이 애완동물 가게에서 사다 주신 / 내 10번째 생일에

해석 토미는 삼촌이 내 10번째 생일에 가게에서 산 강아지이다.

해설 목적격 관계사인 which는 생략 가능하다.

02

that 생략 가능

Everyone is like a moon / and has a dark side / _____ he or she doesn't show / to anyone. 모든 사람들은 달과 같다 / 그리고 어두운 면을 가지고 있다 / 자신이 보여주고 싶지 않은 / 누구나에게

해석 모든 사람들은 달과 같아서, 다른 누구에게도 보여주고 싶지 않은 어두운 면을 가지고 있다.

해설 목적격 관계사인 that은 생략 가능하다.

03

S   V   which 생략 가능

Many common French wines / are named / after the places / _____ the grapes are grown in. 많은 일반적인 프랑스 와인들은 / 이름이 붙는다 / 지역의 이름을 따서 / 포도들이 자란

해석 많은 일반적인 프랑스 와인들은 포도가 자란 지역의 이름을 따서 이름이 붙여진다.

해설 목적격 관계사인 which는 생략 가능하다.

04

S   V   that 생략 가능

The public library / can provide you / with a lot of information / _____ you have not got access to. 공공 도서관은 / 당신에게 제공할 수 있다 / 많은 정보를 / 당신이 접근할 수 없었던

해석 공공도서관은 당신이 접근하지 못했던 많은 정보들을 당신에게 제공해 줄 수 있다.

해설 목적격 관계사인 that은 생략 가능하다.

05

who was 생략 가능

One day / I recognized / a beautiful actress / _____ driving into the parking lot. 어느 날 / 나는 알아봤다 / 아름다운 여배우를 / 주차장으로 운전해서 들어오는

해석 어느 날, 나는 주차장으로 운전해서 들어오는 아름다운 여배우를 알아봤다.

해설 [주격 관계대명사+be동사]는 생략되어, 분사가 명사를 바로 수식할 수 있다. 따라서 who was는 생략 가능하다.

06

S   V   that is 생략 가능

Good teachers / are willing to reach out a helping hand / to a student / _____ facing an emotional or an educational problem.
좋은 선생님들은 / 도움의 손길을 뻗으려고 한다 / 학생에게 / 감정적 혹은 교육적인 문제에 직면한

해석 좋은 선생님들은 감정적 혹은 교육적인 문제에 직면한 학생에게 도움의 손길을 뻗으려고 한다.

해설 [주격 관계대명사+be동사]는 생략되어, 분사가 명사를 바로 수식할 수 있다. 따라서 that is는 생략 가능하다.

p.13

[01 – 10] 다음 중 알맞은 것을 고르시오.

01 Jackson put away the plates which / who were scattered on the table.

02 There was a story about a girl who / which was published in 1891.

03 She said nothing at all, which / what got him more angry.

04 My sister bought some fruits in the market, which / where were pretty rotten.

05 Her fiancé, who is in the military, has received orders who / which make this date impossible.

06 Chickens are raised for both meat and eggs, which make / makes them the most important animals.

07 Rose wants to study more subjects, which is / are only her dream.

08 I will be back next week, which / when means we will get to meet soon.

09 When regions can no longer produce food, people will be forced to move to elsewhere, which make / makes them "climate refugees."

10 Keeping a diary of things who / which they appreciate reminds them of the progress they made that day.

어휘를 알면 **구문이 보인다!**

체크! Words & Phrases

POINT 100

☐ enrich	풍요롭게 하다
☐ discover	발견하다
☐ illusion	환상
☐ creative	창의적인
☐ wear out	지치게 하다
☐ modern	현대의
☐ negatively	부정적으로
☐ ecosystem	생태계
☐ civilization	문명

POINT 101

☐ found	설립하다
☐ throughout	도처에
☐ thrive	번성하다
☐ drought	가뭄
☐ result from	~때문에 발생하다
☐ temperature	온도
☐ remarkable	상당한
☐ edition	판, 편집

POINT 102

☐ be treated	대우받다
☐ cruelly	잔혹하게
☐ unique	독특한
☐ pace	속도
☐ applicant	지원자
☐ submit	제출하다
☐ form	양식
☐ socialize	어울리다

★ 모르는 단어에 체크하고, 소리 내어 10번만 뜻과 함께 말해 보세요.

[01 – 20] 다음 빈칸에 알맞은 우리말 뜻이나 단어를 쓰시오.

01 cruelly _____

02 drought _____

03 creative _____

04 edition _____

05 modern _____

06 negatively _____

07 unique _____

08 discover _____

09 illusion _____

10 civilization _____

11 도처에 _____

12 번성하다 _____

13 지원자 _____

14 제출하다 _____

15 온도 _____

16 속도 _____

17 지치게 하다 _____

18 ~때문에 발생하다 _____

19 풍요롭게 하다 _____

20 생태계 _____

100 만능 관계사 that

앞에 나오는 **all the learning**을 수식한다.

Music study / enriches all the learning / **that children do at school.**

음악 공부는 모든 학습을 풍요롭게 한다 / 아이들이 학교에서 하는
⋯→ 음악 공부는 아이들이 학교에서 배우는 모든 학습을 풍요롭게 한다.

Grammar Point

❶ that은 관계사 which, who, whom, where, when, why, how를 대신할 수 있다.
❷ that이 사용되지 못하는 경우도 있으니 주의한다. (Point 101, 102 참조)
❸ 선행사가 [사람+동물/사물]일 경우 that만 가능하다.
❹ that은 접속사로도 사용된다. (Point 118 참조)

다음 중 알맞은 것을 고르시오.

01 Almost every day I play a game by myself | that / whom | I call "time machine."

02 Scientists have discovered one of the reasons | that / which | two people fall in love.

03 People are living under the illusion | that / which | they are more creative and happier than others.

04 Tuesday is usually the first day of the week | that / which | they're focused on their own task.

05 He let her wear herself out to the point | which / that | she was tired and sleepy.

06 Modern humans tend to negatively affect ecosystems in ways | that / how | the earliest civilizations did not.

Words & Phrases

enrich
풍요롭게 하다

discover
발견하다

illusion
환상

creative
창의적인

wear out
지치게 하다

modern
현대의

negatively
부정적으로

ecosystem
생태계

civilization
문명

[01 – 06] 빈칸에 알맞은 말을 넣으시오.

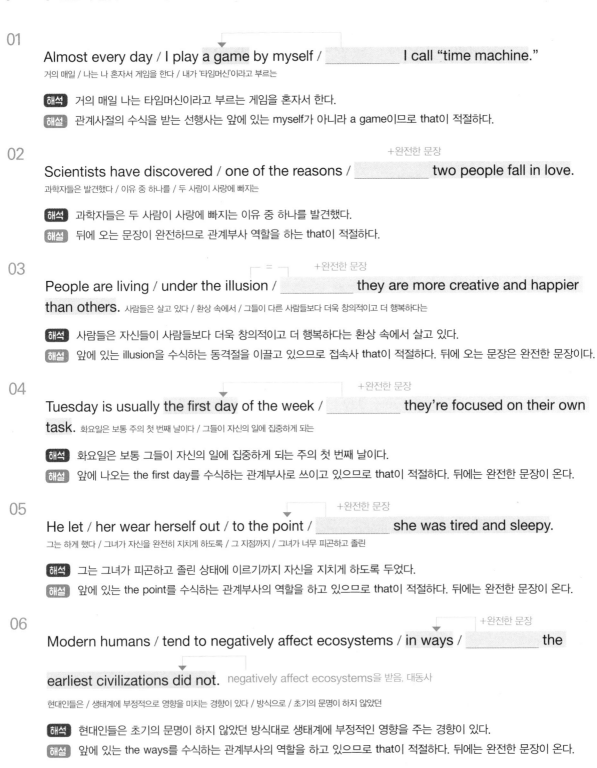

01

Almost every day / I play a game by myself / _____ I call "time machine."

거의 매일 / 나는 나 혼자서 게임을 한다 / 내가 '타임머신'이라고 부르는

해석 거의 매일 나는 타임머신이라고 부르는 게임을 혼자서 한다.

해설 관계사절의 수식을 받는 선행사는 앞에 있는 myself가 아니라 a game이므로 that이 적절하다.

02

+완전한 문장

Scientists have discovered / one of the reasons / _____ two people fall in love.

과학자들은 발견했다 / 이유 중 하나를 / 두 사람이 사랑에 빠지는

해석 과학자들은 두 사람이 사랑에 빠지는 이유 중 하나를 발견했다.

해설 뒤에 오는 문장이 완전하므로 관계부사 역할을 하는 that이 적절하다.

03

= +완전한 문장

People are living / under the illusion / _____ they are more creative and happier than others. 사람들은 살고 있다 / 환상 속에서 / 그들이 다른 사람들보다 더욱 창의적이고 더 행복하다는

해석 사람들은 자신들이 사람들보다 더욱 창의적이고 더 행복하다는 환상 속에서 살고 있다.

해설 앞에 있는 illusion을 수식하는 동격절을 이끌고 있으므로 접속사 that이 적절하다. 뒤에 오는 문장은 완전한 문장이다.

04

+완전한 문장

Tuesday is usually the first day of the week / _____ they're focused on their own task. 화요일은 보통 주의 첫 번째 날이다 / 그들이 자신의 일에 집중하게 되는

해석 화요일은 보통 그들이 자신의 일에 집중하게 되는 주의 첫 번째 날이다.

해설 앞에 나오는 the first day를 수식하는 관계부사로 쓰이고 있으므로 that이 적절하다. 뒤에는 완전한 문장이 온다.

05

+완전한 문장

He let / her wear herself out / to the point / _____ she was tired and sleepy.

그는 하게 했다 / 그녀가 자신을 완전히 지치게 하도록 / 그 지점까지 / 그녀가 너무 피곤하고 졸린

해석 그는 그녀가 피곤하고 졸린 상태에 이르기까지 자신을 지치게 하도록 두었다.

해설 앞에 있는 the point를 수식하는 관계부사의 역할을 하고 있으므로 that이 적절하다. 뒤에는 완전한 문장이 온다.

06

+완전한 문장

Modern humans / tend to negatively affect ecosystems / in ways / _____ the

earliest civilizations did not. negatively affect ecosystems을 받음. 대동사

현대인들은 / 생태계에 부정적으로 영향을 미치는 경향이 있다 / 방식으로 / 초기의 문명이 하지 않았던

해석 현대인들은 초기의 문명이 하지 않았던 방식대로 생태계에 부정적인 영향을 주는 경향이 있다.

해설 앞에 있는 the ways를 수식하는 관계부사의 역할을 하고 있으므로 that이 적절하다. 뒤에는 완전한 문장이 온다.

POINT
101

that을 못 쓰는 경우 1

앞에 콤마가 있으므로 **that**은 불가

Plato founded a school / **called the Academy**, / **which**

that(X)

became famous / throughout the Greek world.

플라톤은 학교를 설립했다 / 아카데미라고 불리는 / 그런데 그것은 유명하게 되었다 / 그리스 세계에서

⋯ 플라톤은 아카데미라고 불리는 학교를 설립했는데, 그리스 전역에서 유명해졌다.

Grammar Point

❶ 계속적 용법을 나타내는 콤마(,) 뒤에는 **that**을 쓸 수 없다.

❷ **that** 앞에 삽입절/구(콤마 2개)가 있는 경우에는 가능하다.

He has many books, such as *Little Prince*, that can help you.

Words & Phrases

found
설립하다

throughout
도처에

jar
항아리

thrive
번성하다

invent
발명하다

drought
가뭄

result from
~때문에 발생하다

temperature
온도

achieve
성취하다

remarkable
상당한

edition
판, 편집

exist
존재하다

다음 중 알맞은 것을 고르시오.

01 The jar contains little oxygen, ☐ which / that ☐ most bacteria need to thrive.

02 King Sejong, ☐ who / that ☐ invented Hangeul, was one of the greatest persons in Korean history.

03 There are many diseases, such as cancer and heart attack, ☐ that / what ☐ make people die.

04 The Amazon drought resulted from high ocean temperatures, ☐ which / that ☐ are due to global warming.

05 Indonesia achieved the most remarkable increase during this period, ☐ that / which ☐ is about one million tons.

06 The fifth edition of the dictionary contained 10,000 words, about 5 percent of the total, ☐ that / what ☐ hadn't existed 50 years before.

[01 – 06] 빈칸에 알맞은 말을 넣으시오.

01

The jar contains little oxygen, / _____ most bacteria need to thrive.
그 항아리는 산소가 거의 없다 / 대부분의 박테리아가 번성하기 위해 필요한

해석 그 항아리는 산소가 거의 없는데, 산소는 대부분의 박테리아가 번성하기 위해서 필요한 것이다.

해설 콤마 뒤에 오므로 that은 쓸 수가 없다. 즉 계속적 용법으로는 that은 쓰이지 못한다. 따라서 which가 적절하다.

02

S V

[King Sejong, / _____ invented Hangeul,] / was one of the greatest persons / in Korean history. 세종대왕은 / 한글을 만든 / 가장 위대한 사람 중 하나이다 / 한국 역사에서

해석 한글을 만든 세종대왕은 한국 역사상 가장 위대한 인물 중 하나이다.

해설 계속적 용법으로 that은 쓰이지 못한다. 따라서 who가 적절하다.

03

삽입구

There are many diseases, / such as cancer and heart attack, / _____ make people die. 많은 질병이 있다 / 암, 심장마비와 같은 / 사람을 죽게 만드는

해석 사람을 죽게 만드는 암이나 심장마비와 같은 많은 질병이 있다.

해설 콤마 뒤에 오므로 that은 쓸 수가 없을 것 같지만, 콤마가 앞에 하나 더 있다. 즉 such as ~ heart attack이 삽입된 형식이다. 따라서 계속적 용법이 아니므로 that이 적절하다.

04

S V

The Amazon drought / resulted from high ocean temperatures, / _____ are due to global warming. 아마존의 가뭄은 / 높은 해양의 온도로 인해 발생했다 / 그런데 이것은 지구온난화 때문이다

해석 아마존의 가뭄은 높은 해양의 온도 때문에 발생하는데, 이는 지구온난화 때문이다.

해설 계속적 용법으로는 that은 쓰이지 못한다. 따라서 which가 적절하다.

05

S V

Indonesia achieved the most remarkable increase / during this period, / _____ is about one million tons. 인도네시아는 가장 두드러지는 성장을 성취했다 / 이 기간 동안에 / 이는 약 백만 톤에 해당한다

해석 인도네시아는 이 기간 동안에 가장 두드러지는 성장을 이뤘는데, 이것은 약 백만 톤에 이른다.

해설 계속적 용법으로는 that은 쓰이지 못한다. 따라서 which가 적절하다.

06

S V 삽입구

[The fifth edition of the dictionary] / contained 10,000 words, / about 5 percent of the total, / _____ hadn't existed 50 years before.
그 사전의 5번째 개정판은 / 만 개의 단어를 포함했다 / 전체의 약 5%에 해당하는 / 50년 전에는 존재하지 않았던

해석 그 사전의 5번째 개정판은 50년 전에 존재하지 않았던 전체 어휘의 약 5%에 해당하는 만 개의 단어를 포함했다.

해설 콤마 뒤에 오므로 that은 쓸 수가 없을 것 같지만, 콤마가 앞에도 하나 더 있다. 즉 about 5 percent of the total이 삽입된 형식이다. 계속적 용법이 아니므로 that이 적절하다.

102 that을 못 쓰는 경우 2

보통 whom은 that으로 쓸 수 있지만, 여기서는 앞에 전치사가 있으므로 that은 올 수 없다

The woman / with whom my mom is talking / is my

⤷ with that (X)

teacher, / and they look delighted.

그 여자는 / 엄마가 이야기하고 있는 / 나의 선생님이다 / 그리고 그들을 즐거워 보인다

⋯→ 엄마가 이야기하고 있는 여성은 나의 선생님이며, 그들은 즐거워 보인다.

Grammar Point

❶ 전치사의 목적어로 관계사 that은 사용될 수 없다. 즉, 관계사 that 앞에 전치사는 올 수 없다.

❷ in that이 '~라는 점에서'의 접속사로 사용될 경우는 가능하다.
   ('in that'이 무조건 '~라는 점에서'를 의미하는 것은 아님을 유의하자.)

Words & Phrases

delighted
즐거운

be treated
대우받다

cruelly
잔혹하게

explain
설명하다

vase
꽃병

unique
독특한

pace
속도

applicant
지원자

submit
제출하다

form
양식

client
고객

socialize
어울리다

다음 중 알맞은 것을 고르시오.

01 We should ban all sports in ⎡that / which⎤ animals are treated cruelly.

02 My mother explained the situation with ⎡that / which⎤ she had to put up in her childhood.

03 The vase from the site is very special in ⎡which / that⎤ it has five legs and unique patterns.

04 The list of ⎡what / that⎤ we need to finish is in front of us, and we cannot change the pace.

05 All the applicants should submit two forms of ID, one of ⎡which / that⎤ must have their own photo.

06 She picked up information not only from her clients but also from women with ⎡whom / that⎤ she often socialized.

[01 – 06] 빈칸에 알맞은 말을 넣으시오.

01

─ 전치사가 존재함

We should ban all sports / in _____ animals are treated cruelly.

우리는 모든 스포츠를 금지해야 한다 / 동물들이 잔혹하게 대우받는

해석 우리는 동물들이 잔혹하게 대해지는 모든 스포츠를 금지해야 한다.

해설 전치사 뒤에 나오므로 that은 사용되지 못한다. 따라서 which가 적절하다.

02

S   V   ─ 전치사가 존재함   ─ put up with ~을 견디다

My mother explained the situation / with _____ she had to put up / in her

childhood. 어머니는 그 상황을 설명하셨다 / 그녀가 견뎌야만 했던 / 어린 시절에

해석 어머니는 어린 시절에 견뎌야만 했던 상황을 설명하셨다.

해설 전치사 뒤에 나오므로 that은 사용되지 못한다. 따라서 which가 적절하다.

03

S   V   ─ ~ 라는 점에서

[The vase from the site] / is very special / in _____ / it has five legs and unique

patterns. 그 장소에서 나온 꽃병은 / 매우 특별하다 / ~라는 점에서 / 그것이 5개의 다리와 독특한 패턴을 가진다는

해석 그 장소에서 나온 꽃병은 5개의 다리와 독특한 패턴을 갖고 있다는 점에서 매우 특별하다.

해설 내용상 '~라는 점에서'로 해석이 가능하므로 that이 와야 한다. in that 뒤에는 완전한 문장이 온다.

04

S   ─ 전치사가 존재함 / what+불완전 문장   V

[The list / of _____ we need to finish] / is in front of us, / and we cannot change

the pace. 목록은 / 우리가 끝낼 필요가 있는 것의 / 우리 앞에 있다 / 그리고 우리는 그 속도를 바꿀 수 없다

해석 우리가 끝내야 할 일의 목록은 우리 앞에 있고, 우리는 그 속도를 바꿀 수 없다.

해설 앞에 전치사가 존재하며, 뒤에 오는 문장이 불완전 문장이므로 that이 오지 못한다. 따라서 what이 적절하다.

05

S   V   ─ 전치사가 존재함

All the applicants should submit / two forms of ID, / one of _____ must have their

own photo. 지원자 모두는 제출해야 한다 / 2가지 형태의 ID를 / 그 중 하나는 자신의 사진이 있어야 한다

해석 지원자 모두는 2가지 형태의 ID를 제출해야 하며, 그 중 하나는 자신의 사진이 있어야만 합니다.

해설 전치사 뒤에 나오므로 that은 사용되지 못한다. 따라서 which가 적절하다.

06

─ 전치사가 존재함   ─ not only A but also B ─

She picked up information / not only from her clients / but also from women / with

_____ she often socialized. 그녀는 정보를 선택했다 / 그녀의 고객들로부터 뿐만 아니라 / 여성들로부터 / 그녀가 자주 만났던

해석 그녀는 고객들뿐만 아니라 그녀가 자주 만났던 여성들로부터 정보를 수집했다.

해설 전치사 뒤에 나오므로 that은 사용되지 못한다. 따라서 whom이 적절하다.

[01 – 10] 다음 중 알맞은 것을 고르시오.

01   The reporter interviewed the witness that / which was standing in that square.

02   The writer, who / that wrote the novel, won several awards.

03   The candidate that / what we selected has a positive attitude on that issue.

04   He recommended to us this hotel, that / where we were going to stay for a holiday.

05   The temple served as an educational center in that / which their society didn't have any school.

06   I threw away the sofa, damaged beyond repair, that / what my friend had bought for me.

07   Mr. Jackson is our new English teacher, who / that every student likes.

08   This was a crisis for which / that she was totally unprepared.

09   We visited the house and the building in which / that he lived.

10   They met a foreigner, asking them for help, that / which was from America.

어휘를 알면 **구문이 보인다!**

체크! Words & Phrases

POINT 103

☐ anxiously	불안하게
☐ truly	진심으로
☐ be interested in	~에 관심이 있다
☐ whole	전체의
☐ at the moment	지금
☐ focus on	~에 집중하다
☐ reward	보상
☐ earn	얻다

POINT 104

☐ habit	습관
☐ pay attention to	~에 관심을 가지다
☐ drawing	그림
☐ friendship	우정
☐ deal	거래
☐ cool	멋진
☐ pick	고르다
☐ repeat	반복하다

POINT 105

☐ humble	초라한, 검소한
☐ pattern	패턴, 양식
☐ behavior	행동
☐ fabric	직물
☐ impact	영향, 충격
☐ resident	거주자
☐ sufficient	충분한
☐ budget	예산
☐ power source	전력 자원

★ 모르는 단어에 체크하고, 소리 내어 10번만 뜻과 함께 말해 보세요.

[01-20] 다음 빈칸에 알맞은 우리말 뜻이나 단어를 쓰시오.

01 resident

02 sufficient

03 focus on

04 reward

05 pattern

06 whole

07 friendship

08 deal

09 fabric

10 impact

11 초라한, 검소한

12 ~에 관심을 가지다

13 얻다

14 반복하다

15 예산

16 전력 자원

17 불안하게

18 진심으로

19 행동

20 ~에 관심이 있다

POINT
103

선행사가 필요 없는 관계사 **what**

Most kids / wait anxiously / for their birthday
+불완전한 절 (want의 목적어가 없는 불완전한 절이다.)
/ to have **what they want**.

대부분의 아이들은 / 초조하게 기다린다 / 그들의 생일을 / 그들이 원하는 것을 얻기 위해
··· 대부분의 아이들은 원하는 것을 얻기 위해 자신의 생일을 초조하게 기다린다.

Grammar Point

※ 관계대명사 what은 선행사가 없고, 뒤에 불완전한 절이 온다.

선행사 없음   what ✚   불완전한 절

🔍 다음 중 알맞은 것을 고르시오.

Words & Phrases

anxiously
불안하게

truly
진심으로

be interested in
～에 관심이 있다

achieve
성취하다

whole
전체의

at the moment
지금

focus on
～에 집중하다

reward
보상

earn
얻다

depend on
～에 의존하다

01   They are truly interested in which / what you are trying to achieve.

02   Give your whole focus to what / which you're doing at the moment.

03   Ants and wolves in groups can do things what / that no single ant or
      wolf can do.

04   When we were children, it took us a very long time to get which / what
      we really wanted.

05   She starts to focus more on getting the reward than on what / which
      she did to earn it.

06   That / What people come to like depends very much on what they
      believe others like.

[01 – 06] 빈칸에 알맞은 말을 넣으시오.

01

선행사 없음

They are truly interested in / _____ you are trying to achieve.

그들은 정말로 관심이 있다 / 당신이 얻고자 하는 것에

해석 그들은 당신이 성취하고자 하는 것에 정말로 관심이 있다.

해설 관계사절 앞에 수식을 받는 선행사가 없으므로 선행사가 포함된 what이 적절하다.

02

선행사 없음

Give your whole focus to / _____ you're doing / at the moment.

당신이 모든 집중을 주어라 / 당신이 하고 있는 것에 / 지금

해석 지금 당신이 하고 있는 것에 모든 집중을 기울여라.

해설 관계사절 앞에 수식을 받는 선행사가 없으므로 선행사가 포함된 what이 적절하다.

03

선행사 존재

Ants and wolves in groups / can do things / _____ no single ant or wolf can do.

무리 속에서의 개미와 늑대들은 / 할 수 있다 / 한 마리의 개미나 늑대가 할 수 없는 것을

해석 무리로서의 개미와 늑대들은 혼자서 할 수 없는 일들을 할 수 있다.

해설 관계사절 앞에 수식을 받는 선행사 things가 있으므로 what은 올 수가 없다. 따라서 that이 적절하다.

04

* it takes A+시간+to부정사: A가 to부정사 하는 데 시간이 걸리다   선행사 없음

When we were children, / it took us a very long time / to get / _____ we really

wanted. 우리가 아이였을 때 / 우리는 긴 시간이 걸렸다 / 얻는 데 / 우리가 정말로 원했던 것을

해석 우리가 어렸을 때, 우리가 정말로 원했던 것을 얻는 데 긴 시간이 걸렸다.

해설 관계사절 앞에 수식을 받는 선행사가 없으므로 선행사가 포함된 what이 적절하다.

05

선행사 없음

She starts to focus more on / getting the reward / than on _____ she did / to earn

it. 그녀는 더 많이 집중하기 시작한다 / 보상을 얻는 데 / 그녀가 했던 것보다 / 그것을 얻기 위해서

해석 그녀는 보상을 얻기 위해서 했던 것보다 보상을 얻는 것에 더 많이 집중하기 시작한다.

해설 관계사절 앞에 수식을 받는 선행사가 없으므로 선행사가 포함된 what이 적절하다.

06

선행사 없음   S   V

_____ people come to like / depends very much / on what they believe / others

like. 사람들이 좋아하게 되는 것은 / 더 많이 의존한다 / 그들이 믿는 것에 / 좋아한다고 하는

해석 사람들이 좋아하게 되는 것은 다른 사람들이 좋아한다고 그들이 믿는 것에 더 많이 의존한다.

해설 관계사절 앞에 수식을 받는 선행사가 없으므로 선행사가 포함된 What이 적절하다.

POINT 104   what vs. that

I had the habit / of telling my sons / **what they**
wanted to hear / in the moment.

나는 습관이 있었다 / 내 아들들에게 말하는 / 그들이 듣고 싶어 했던 것을 / 그 순간에
··· 나는 아들들이 그 순간에 듣고 싶어 하는 말을 하는 습관을 갖고 있었다.

Grammar Point

❶ 앞에 선행사가 있으면 관계사 **that**을 선택한다.
❷ 앞에 선행사가 없을 때

what (관계사)	+	불완전한 절
that (접속사)	+	완전한 절

🔍 다음 중 알맞은 것을 고르시오.

Words & Phrases

habit
습관

pay attention to
〜에 관심을 가지다

drawing
그림

friendship
우정

deal
거래

cool
멋진

pick
고르다

repeat
반복하다

01 I explained to him ⟨ that / what ⟩ I lived just up the next street.

02 Pay attention to ⟨ that / what ⟩ you like most about your drawings.

03 It's fun to read ⟨ that / what ⟩ other people have said about friendship.

04 Many people try to focus on ⟨ what / that ⟩ they didn't get from the deal.

05 One cool thing about my Uncle Arthur was ⟨ that / what ⟩ he could always pick the best places to camp.

06 If I ask them some questions about the books, they only repeat ⟨ that / what ⟩ somebody else has said about those books.

[01-06] 빈칸에 알맞은 말을 넣으시오.

01

┌ explain의 목적어절을 이끄는 접속사

I explained to him / _____ I lived just up the next street.

나는 그에게 설명했다 / 내가 바로 다음 길옆에서 살고 있다고

해석 나는 내가 다음 길 바로 옆에서 살고 있다고 그에게 설명했다.

해설 뒤에는 완전한 문장이 오고 있으며, 동사 explain의 목적어절을 이끄는 접속사로 사용되고 있으므로 that이 적절하다.

02

V-명령문   ┌ 선행사 없음

Pay attention to / _____ you like most / about your drawings.

관심을 기울여라 / 당신이 가장 좋아하는 것에 / 당신의 그림에 대해서

해석 당신이 그린 그림에서 가장 좋아하는 것에 관심을 기울여라.

해설 관계사절 앞에 수식을 받는 선행사가 없으므로 선행사가 포함된 what이 적절하다.

03

┌ 가주어-진주어 구문 ┐   ┌ 선행사 없음

It's fun / to read / _____ other people have said / about friendship.

재미있다 / 읽는 것이 / 다른 사람들이 말해왔던 것을 / 우정에 대한

해석 우정에 대해서 다른 사람들이 말해온 것을 읽는 것이 재미있다.

해설 관계사절 앞에 수식을 받는 선행사가 없으므로 선행사가 포함된 what이 적절하다.

04

┌ 선행사 없음

Many people try to focus on / _____ they didn't get / from the deal.

많은 사람들은 집중하려고 노력한다 / 그들이 얻지 못한 것에 / 거래로부터

해석 많은 사람들은 거래로부터 얻지 못했던 것에 집중하려고 노력한다.

해설 관계사절 앞에 수식을 받는 선행사가 없으므로 선행사가 포함된 what이 적절하다.

05

S   V   ┌ 보어절을 이끄는 접속사 that+완전한 문장

[One cool thing / about my Uncle Arthur /] was _____ he could always pick the best places / to camp. 한 가지 멋진 것은 / 아더 삼촌에 대해서 / 그는 항상 최고의 장소를 고를 수 있었다는 것이다 / 캠핑할

해석 아더 삼촌에 대해서 한 가지 멋진 것은 그는 항상 캠핑할 최고의 장소를 선택할 수 있다는 것이다.

해설 뒤에 오는 문장이 완전한 문장이므로 접속사 that이 적절하다.

06

┌ 선행사 없음

If I ask them some questions / about the books, / they only repeat / _____ somebody else has said / about those books.

내가 그들에게 어떤 질문을 한다면 / 책들에 대한 / 그들은 오직 반복한다 / 다른 누군가가 말해왔던 것을 / 책들에 대해서

해석 내가 그 책들에 대해서 그들에게 몇 가지 질문을 하면, 그들은 그 책들에 대해서 다른 누군가가 말해왔던 것을 반복할 뿐이다.

해설 관계사절 앞에 수식을 받는 선행사가 없으므로 선행사가 포함된 what이 적절하다.

복합관계대명사

⤑ '아무리 초라하더라도' 라는 양보의 의미를 가진다.

However humble / it can be, / there is no place / like home.

아무리 초라하더라도 / 그것이 / 장소는 없다 / 집과 같은

⋯ 아무리 초라해도, 집과 같은 곳은 없다.

Grammar Point

❶ '~ever'가 붙는 관계사는 "아무리 ~ 라도" 또는 "~든지"의 의미를 가진다.
❷ 양보(아무리 ~라도)를 의미할 경우, 부사절을 이끌며 접속사 역할을 한다.
❸ 단순 관계사는 부사절 역할을 하지 못한다. → 주어, 목적어, 보어 역할만 한다.

🔍 다음 중 알맞은 것을 고르시오.

Words & Phrases

humble
초라한, 검소한

expert
전문가

behavior
행동

pattern
패턴, 양식

reduce
줄이다

fabric
직물

impact
영향, 충격

resident
거주자

sufficient
충분한

budget
예산

power source
전력 자원

01 [What / Whatever] you do, becoming an expert in patterns of behavior can help you reduce stress in your life.

02 [Which / Whichever] fabric you choose, make sure that you are okay with cutting it.

03 [Who / Whoever] you are, follow the basics of good health, and eat healthy.

04 Car sharing has made a strong impact on [how / however] city residents travel.

05 [Whatever / Whenever] I look at the picture, it gives me a warm, soft feeling like he is still alive.

06 Careful planning for a sufficient budget must be considered [what / whatever] kind of power source is developed.

[01 – 06] 빈칸에 알맞은 말을 넣으시오.

01

부사절, '무엇을 하더라도'　　　　S　　　　　　　　　　　　　　　V

_____ you do, / [becoming an expert / in patterns of behavior] / can help / you reduce stress / in your life.

당신이 무엇을 하던지 간에 / 전문가가 되는 것은 / 행동 패턴에서 / 도울 수 있다 / 당신이 스트레스를 줄이도록 / 당신의 삶에서

[해석] 당신이 무엇을 하더라도, 행동 패턴에서의 전문가가 되는 것은 당신의 삶에서 스트레스를 줄이도록 도울 수 있다.

[해설] 부사절을 이끌며, '무엇을 하더라도'라고 해석이 되므로 Whatever가 적절하다.

02

부사절, '어떤 직물을 고르더라도'　　　　　　V – 명령문

_____ fabric you choose, / make sure / that you are okay / with cutting it.

당신이 어떤 직물을 고르더라도 / 확인해라 / 당신이 괜찮은지 / 그것을 잘라도

[해석] 당신이 어떤 직물을 고르더라도, 그것을 잘라도 괜찮은지 확인해라.

[해설] 부사절을 이끌며, '어떤 직물을 고르더라도' 라고 해석이 되므로 Whichever가 적절하다.

03

부사절, '누구더라도'　　　　❶　　　　　　　　　　　　　❷

_____ you are, / follow the basics of good health, / and eat healthy.

당신이 누구더라도 / 건강의 기본을 따르고 / 몸에 좋은 것을 먹어라

[해석] 당신이 누구더라도, 건강의 기본을 따르고. 몸에 좋은 것을 먹어라.

[해설] 부사절을 이끌며, '누구더라도'라고 해석이 되므로 Whoever가 적절하다.

04

　　　S　　　　　V　　　　　　　　　　　on의 목적어절

Car sharing / has made a strong impact / on _____ city residents travel.

카쉐어링(차량 공유)은 / 강한 영향을 미쳐왔다 / 어떻게 도시 주민들이 이동하는지에

[해석] 카쉐어링은 도시 주민들이 어떻게 이동하는지에 대해서 엄청난 영향을 미쳐왔다.

[해설] 내용상 on의 목적어절을 이끌 의문사 how가 와야 한다. 해석으로도 '어떻게'가 자연스럽다.

05

～할 때마다

_____ I look at the picture, / it gives me / a warm, soft feeling / like he is still alive.

내가 그림을 볼 때마다 / 그것은 나에게 준다 / 따뜻한 부드러운 느낌을 / 그가 여전히 살아 있다는

[해석] 내가 그림을 볼 때마다. 그가 여전히 살아있는 것 같은 따뜻하고 부드러운 느낌을 나에게 준다.

[해설] 완벽한 절에는 Whatever는 올 수가 없다. 해석상 '언제든지, 할 때마다'가 자연스러우므로 Whenever가 적절하다.

06

　　　　　S　　　　　　　　　　　　　　　　　　V

[Careful planning / for a sufficient budget] / must be considered / _____ kind of power source / is developed.

주의 깊은 계획은 / 충분한 예산에 대한 / 고려되어야 한다 / 어떤 종류의 전력자원이 / 개발된다 할지라도

[해석] 어떤 종류의 전력자원이 개발된다 할지라도 충분한 예산에 대한 주의 깊은 계획이 고려되어야 한다.

[해설] 부사절을 이끌며 '무엇을 하더라도'라고 해석이 되므로 whatever가 적절하다.

[01~10] 다음 중 알맞은 것을 고르시오.

01   We concluded that / what the sound must have reached them through the water.

02   This scene reminded him of the news what / that he had heard on the radio.

03   What / Whatever he is saying, we don't care about it.

04   We wonder about our surroundings and about that / what we observe both near and far.

05   How / However fast the car goes depends on its engine.

06   What / Whatever we do, the body temperature is maintained at the temperature where our enzymes work best.

07   That / What you have to do is to choose the subject to major in.

08   How / However smart you may be, you should do your best and be careful of everything.

09   He is what / that we call a walking dictionary, so everyone receives help from him.

10   As time passes, they get used to that / what they have, and these wonderful assets disappear from their consciousness.

체크! Words & Phrases

POINT 106

☐ reply	답변
☐ deal with	다루다
☐ medium	매개체
☐ unreal	비현실적인
☐ standard	기준
☐ judge	판단하다
☐ establish	확립하다
☐ entrepreneur	기업가
☐ guarantee	보장하다
☐ import	수입

POINT 107

☐ earn a living	생계를 꾸리다
☐ stitch	꿰다
☐ look forward to	~를 학수고대하다
☐ make up	만들다
☐ limit	제한하다
☐ possibility	가능성
☐ attitude	태도
☐ culture	문화
☐ emphasize	강조하다
☐ positivity	긍정
☐ perform	공연하다

POINT 108

☐ impression	인상
☐ rely on	의존하다
☐ high-efficiency	고효율
☐ toilet	변기
☐ flush	(변기) 한 번 누름

★ 모르는 단어에 체크하고, 소리 내어 10번만 뜻과 함께 말해 보세요.

[01 - 20] 다음 빈칸에 알맞은 우리말 뜻이나 단어를 쓰시오.

01 attitude _____

02 culture _____

03 medium _____

04 positivity _____

05 perform _____

06 unreal _____

07 standard _____

08 earn a living _____

09 high-efficiency _____

10 possibility _____

11 다루다 _____

12 수입 _____

13 의존하다 _____

14 보장하다 _____

15 강조하다 _____

16 (변기)한번 누름 _____

17 확립하다 _____

18 꿰다 _____

19 ~을 학수고대하다 _____

20 기업가 _____

전치사 + 관계사

[전치사+which] + 완전한 문장

The teacher wrote back a long reply / [**in which** he dealt with / thirteen of the questions].

교사들은 긴 답변을 썼다 / 그가 처리했던 / 그 질문 중 13개를
⋯ 교사는 그 질문 중 13개를 다룬 긴 답변을 썼다.

Grammar Point

❶ [전치사+관계사]는 뒤에 완전한 문장(절)이 나온다.
❷ [전치사+관계사]는 적절한 관계부사로 바꾸어 쓸 수 있다.

Words & Phrases

reply
답변

deal with
다루다

medium
매개체

unreal
비현실적인

standard
기준

judge
판단하다

establish
확립하다

entrepreneur
기업가

guarantee
보장하다

import
수입

steady
일정한

다음 중 알맞은 것을 고르시오.

01 Air is not the only medium which / through which sound is carried.

02 The happiness of young love can become an unreal standard which / by which all future romances are judged.

03 The rubber which / from which tires were made was naturally colored off–white or tan.

04 They established a point system which / in which he got points whenever he watched less TV.

05 An entrepreneur enters an area which / in which success is not guaranteed.

06 Imports fell to $100 billion in 2015, which / after which there was a steady increase in imports.

[01 – 06] 빈칸에 알맞은 말을 넣으시오.

01

┌ + 완전한 절

Air is not the only medium / _____ sound is carried.

공기는 유일한 매개체가 아니다 / 소리가 전달되는

해석 공기는 소리가 전달되는 유일한 매개체는 아니다.

해설 빈칸 뒤에 완전한 절이 오므로 [전치사+which]가 와야 한다. 따라서 through which가 적절하다.

02

S   V   ┌ + 완전한 절

[The happiness of young love] / can become an unreal standard / _____ all
future romances are judged. 젊은 시절의 사랑의 행복은 / 비현실적인 기준이 될 수 있다 / 모든 미래의 로맨스가 판단되어지는

해석 젊은 시절의 사랑의 행복은 모든 미래의 로맨스가 판단되는 비현실적인 기준이 될 수 있다.

해설 빈칸 뒤에 완전한 절이 오므로 [전치사+which]가 와야 한다. 따라서 by which가 적절하다.

03

S   ┌ + 완전한 절   V

[The rubber / _____ tires were made] / was naturally colored / off–white or
tan. 고무는 / 타이어의 재료가 됐던 / 자연적으로 색칠되었다 / 황백색이나 황갈색으로

해석 타이어의 재료가 됐던 고무는 자연적으로 황백색이나 황갈색으로 색칠되었다.

해설 빈칸 뒤에 완전한 절이 오므로 [전치사+which]가 와야 한다. 따라서 from which가 적절하다.

04

S   V   ┌ + 완전한 절

They established a point system / _____ he got points / whenever he
watched less TV. 그들은 점수 시스템을 확립했다 / 그가 점수를 얻는 / 그가 TV를 덜 볼 때마다

해석 그들은 그가 TV를 덜 볼 때마다 그가 점수를 얻는 점수 시스템을 확립했다.

해설 빈칸 뒤에 완전한 절이 오므로 [전치사+which]가 와야 한다. 따라서 in which가 적절하다.

05

S   V   ┌ + 완전한 절

An entrepreneur enters an area / _____ success is not guaranteed.

사업가는 영역에 들어간다 / 성공이 보장되지 않은

해석 사업가는 성공이 보장되지 않은 영역으로 들어간다.

해설 빈칸 뒤에 완전한 절이 오므로 [전치사+which]가 와야 한다. 따라서 in which가 적절하다.

06

S   V   ┌ + 완전한 절

Imports fell / to $100 billion in 2015, / _____ there was a steady increase / in
imports. 수입은 떨어졌다 / 2015년에 천억 달러로 / 그 후 일정한 증가가 있었다 / 수입에서

해석 2015년 수입은 천억 달러로 떨어졌고, 이후 수입에서 일정한 증가가 있었다.

해설 빈칸 뒤에 완전한 절이 오므로 [전치사+which]가 와야 한다. 따라서 after which가 적절하다.

관계부사

장소 선행사

관계부사+완벽한 문장

There are places / [even **where** one man earns a living / by only stitching shoes].

장소가 있다 / 심지어 사람이 생계를 꾸리는 / 오직 신발에 바느질을 함으로써

⋯ 오직 신발에 바느질을 해서 생계를 꾸리는 분야가 있다.

Grammar Point

❶ 관계부사는 앞의 선행사를 수식하며, 종류에 따라 where(장소), when(시간), why(이유), how(방법)를 사용한다.

❷ 관계부사 뒤에는 완전한 절이 온다.

❸ 일반적 장소나 시간, 이유, 방법의 경우 관계사가 생략될 수 있다.

Words & Phrases

earn a living
생계를 꾸리다

stitch
꿰다

look forward to
~를 학수고대하다

attract
매혹하다

make up
만들다

limit
제한하다

possibility
가능성

attitude
태도

culture
문화

emphasize
강조하다

positivity
긍정

perform
공연하다

🔍 다음 중 알맞은 것을 고르시오.

01 We all look forward to the day | which / when | summer vacation begins.

02 To the male bowerbird, the nest is a place | which / where | he uses to attract his mate.

03 These ideas make up the box | which / where | we live in, and this box limits our possibilities.

04 There will be times in your life | which / when | there is no one around to stand up and cheer you on.

05 Vinci's attitude stands strongly against today's culture | which / where | we emphasize positivity too much.

06 Events | which / where | we can watch people perform or play music attract many people to stay and watch.

[01 – 06] 빈칸에 알맞은 말을 넣으시오.

01

+ 완전한 절

We all look forward to / the day / _____ summer vacation begins.

우리는 모두 학수고대한다 / 그날을 / 여름 방학이 시작하는

해석 우리는 모두 여름 방학이 시작하는 날을 학수고대한다.

해설 뒤에 완전한 절이 오므로 관계부사 when이 와야 한다.

02

+ 불완전한 절   uses의 목적어가 없음

To the male bowerbird, / the nest is a place / _____ he uses / to attract his mate.

수컷 바우어새에게 있어서 / 둥지는 장소이다 / 그가 사용하는 / 그의 짝을 매혹시키려고

해석 수컷 바우어새에게 있어서 둥지는 그의 짝을 매혹시키려고 사용하는 장소이다.

해설 뒤에 uses의 목적어가 없는 불완전한 절이 오므로 관계대명사 which가 적절하다.

03

S   V   + 불완전한 절   in의 목적어가 없음

These ideas make up the box / _____ we live in, / and this box limits our possibilities.

이러한 생각은 상자를 만든다 / 우리가 살고 있는 / 그리고 이 상자는 우리의 가능성을 제한한다

해석 이러한 생각이 우리가 사는 상자를 만드는 것이며 이 상자가 우리의 가능성을 제한한다.

해설 뒤에 전치사 in의 목적어가 없으므로 불완전한 절이다. 따라서 관계대명사 which가 적절하다.

04

+ 완전한 절

There will be times / in your life / _____ there is no one around / to stand up / and cheer you on. 시간이 있을 것이다 / 우리 삶에는 / 주변에 아무도 없을 때 / 서 있는 / 너를 응원해 줄

해석 네 곁에 서서 너를 응원해 줄 사람이 주변에 아무도 없을 때가 삶에 있을 것이다.

해설 뒤에 완전한 절이 오므로 관계부사 when이 와야 한다.

05

S   V   + 완전한 절

Vinci's attitude / stands strongly against today's culture / _____ we emphasize positivity / too much. 빈치의 태도는 / 현재의 문화의 반대편에 강하게 서 있다 / 우리가 긍정을 강조하는 / 너무 많이

해석 빈치의 태도는 우리가 긍정을 너무 많이 강조하는 오늘날의 문화와는 대척점에 서 있다.

해설 뒤에 완전한 절이 오므로 관계부사 where이 와야 한다.

06

S   + 완전한 절   지각동사   V

[Events / _____ we can watch / people / perform or play music] / attract many people / to stay and watch.

행사들은 / 우리가 볼 수 있는 / 사람들이 / 공연을 하고 음악을 연주하는 것을 / 많은 사람들을 매혹한다 / 머물고 보도록

해석 사람들이 공연하고 음악을 연주하는 것을 우리가 볼 수 있는 행사는 많은 사람들이 머무르면서 구경하도록 매료시킨다.

해설 뒤에 완전한 절이 오므로 관계부사 where이 와야 한다.

POINT 108 부정대명사 of 관계대명사

두 개의 문장(절)으로 구성되어 있지만 접속사가 없으므로 관계사가 와야 한다.

[He saw two pictures of Rubens,] / [**both of which** / left a strong impression / on him.]

그는 루벤스가 두 점의 그린 그림을 보았다 / 그 그림 두 점 모두 / 강한 인상을 남겼다 / 그에게
⋯ 그는 루벤스의 그림 두 점을 보았는데, 둘 모두 그에게 강한 인상을 남겼다.

Grammar Point

❶ [부정대명사 of 관계사] 구문은 문장 사이에 접속사가 없어야 한다.
  접속사+문장+문장/문장+접속사+문장/문장+관계사+문장
❷ 해석은 '그런데 그중 ~ 은'이라고 하면 된다.

🔍 다음 중 알맞은 것을 고르시오.

01 You rely on many people, most of | whom / them | you do not know.

02 My teacher met many students, some of | them / whom | can speak English.

03 When people want a pet, many of | which / them | go straight to a pet store.

04 Tim lived with three dogs and four cats, and all of | them / whom | loved him very much.

05 Jackson interviewed 25 applicants for a new position, most of | them / whom | are skilled workers.

06 More than 35 models of high-efficiency toilets are on the U.S. market today, some of | which / them | use less than 1.3 gallons per flush.

Words & Phrases

impression
인상

rely on
의존하다

pet store
애완 동물가게

applicant
지원자

skilled
숙련된

high-efficiency
고효율

toilet
변기

flush
(변기) 한 번 누름

Chapter 11 관계사   109

[01 – 06] 빈칸에 알맞은 말을 넣으시오.

01

┌ 접속사가 없음 → 관계사 필요

You rely on many people, / most of _____ / you do not know.

당신은 많은 사람들에 의존한다 / 그런데 그들 중 다수를 / 당신은 알지 못한다

해석 당신은 많은 사람들에 의존하는데, 그들 중 대다수를 알지 못한다.

해설 2개의 문장인데 접속사가 보이지 않으므로 관계사가 필요하다. 선행사가 사람이므로 whom이 적절하다.

02

┌ 접속사가 없음 → 관계사 필요

My teacher met many students, / some of _____ can speak English.

나의 선생님은 많은 학생들을 만났다 / 그들 중 일부는 영어를 말할 수 있다.

해석 나의 선생님은 많은 학생들을 만났는데, 그들 중 일부는 영어를 말할 수 있다.

해설 2개의 문장인데 접속사가 보이지 않으므로 관계사가 필요하다. 선행사가 사람이므로 whom이 적절하다.

03

┌ 접속사가 있음 → 관계사 불필요

When people want a pet, / many of _____ go straight / to a pet store.

사람들이 애완동물을 원할 때 / 그들 중 상당수는 곧장 간다 / 애완동물가게로

해석 사람들이 애완동물을 원할 때, 그들 중 상당수는 애완동물가게로 바로 간다.

해설 문장이 2개인데 앞에 접속사 when이 있으므로 관계사가 필요하지 않다. 따라서 목적격 them이 적절하다.

04

S   V   ┌ 접속사가 있음 → 관계사 불필요

Tim lived / with three dogs and four cats, / and all of _____ / loved him very much.

팀은 살았다 / 3마리의 개와 4마리의 고양이와 / 그리고 그들 모두는 / 그를 많이 사랑했다.

해석 팀은 3마리의 개와 4마리의 고양이와 함께 살았고, 그들 모두는 그를 매우 사랑했다.

해설 문장이 2개인데 앞에 접속사 and가 있으므로 관계사가 필요하지 않다. 따라서 목적격 them이 적절하다.

05

┌ 접속사가 없음 → 관계사 필요

Jackson interviewed **25 applicants** / for a new position, / most of _____ / are skilled workers. 잭슨은 25명의 지원자를 면접 봤다 / 새로운 직책을 위한 / 그리고 그들 대다수는 / 숙련된 근로자이다.

해석 잭슨은 새로운 직책을 위해서 25명의 지원자를 면접을 봤는데 그들 대다수는 숙련된 근로자이다.

해설 2개의 문장인데 접속사가 보이지 않으므로 관계사가 필요하다. 선행사가 사람이므로 whom이 적절하다.

06

S   V   접속사가 없음 → 관계사 필요 ┐

[More than 35 models / of high-efficiency toilets] / **are** on the U.S. market today, / some of _____ use less / than 1.3 gallons per flush.

35개 이상의 모델이 / 고효율성 변기의 / 오늘날 미국 시장에 있다 / 그리고 그들 중 일부는 적게 사용한다 / 한 번 물을 내릴 때마다 1.3갤런보다

해석 고효율성 변기의 35개 이상의 모델이 오늘날 미국시장에 있으며, 그들 중 일부는 한 번 물을 내릴 때마다 1.3갤런보다 적게 사용한다.

해설 2개의 문장인데 접속사가 보이지 않으므로 관계사가 필요하다. 선행사가 사물이므로 which가 적절하다.

Point (106~108) Review

p.16

[01 – 10] 다음 중 알맞은 것을 고르시오.

01 A home provides a canvas which / on which we can illustrate who we are.

02 She followed her daughter to the window which / where she could see the rainbow.

03 The babies were well fed and cared for, but many of whom / them became ill.

04 We have confirmed a booking for over 100 guests, many of whom / them are important clients.

05 Confident leaders are not afraid to ask the basic questions: the questions which / to which you may feel embarrassed about not knowing the answers.

06 He became a member of the Chamber Orchestra of Oldenburg, which / where he played until the orchestra was abolished in 1811.

07 Steve brought his three friends, none of whom / them I had ever met before.

08 When a child grows into an adult, he shows only a change in the degree which / to which his potential is realized.

09 Muslims eat a special bread during Ramadan, which / when they eat nothing from sunrise to sunset.

10 A social dilemma is a situation which / in which the most pleasing choice for an individual will finally bring a negative result for all people.

p.17

[01 – 10] 다음 중 알맞은 것을 고르시오.

01　It's that / what we did after our first fight in our marriage.

02　He often used the dishwasher which / who the landlord installed.

03　What / Whatever she had done for me, it would not be good for us.

04　I would rather invest this item which / from which he started his business.

05　This is the book with that / which I am learning English grammar.

06　The delegates who / whose meetings start tomorrow are very important in this project.

07　We all know that / what it is difficult to keep calm when embarrassed.

08　You could, for example, have a notice board in your room, which / where you can pin up important notes.

09　A banquet was held to honor seven employees, all of whom / them had worked at the company.

10　Jane is very attractive in that / which she is not easily irritated.

분사구문

Participle
Constructions

어휘를 알면 **구문이 보인다!**

체크! Words & Phrases

POINT 109

☐ a load of	한 짐의
☐ firewood	장작
☐ realize	깨닫다
☐ educate	교육시키다
☐ private tutor	개인교사
☐ instructive	교육적인
☐ invent	발명하다
☐ automobile	자동차
☐ promising	전도유망한
☐ executive	간부

POINT 110

☐ village	마을
☐ stream	줄줄 흐르다
☐ cheek	뺨
☐ equal	같은
☐ internationally	국제적으로
☐ award	(상을) 주다

POINT 111

☐ along	~을 따라서
☐ sick in bed	병상에 누운
☐ anxious	열망하는
☐ amazed	놀란
☐ attention	관심
☐ strange	이상한
☐ injure	부상을 입히다
☐ perform	공연하다
☐ behave	행동하다

★ 모르는 단어에 체크하고, 소리 내어 10번만 뜻과 함께 말해 보세요.

[01 - 20] 다음 빈칸에 알맞은 우리말 뜻이나 단어를 쓰시오.

01 strange _____

02 along _____

03 executive _____

04 perform _____

05 private tutor _____

06 instructive _____

07 cheek _____

08 amazed _____

09 sick in bed _____

10 invent _____

11 한 짐의 _____

12 전도유망한 _____

13 자동차 _____

14 열망하는 _____

15 (상을) 주다 _____

16 부상을 입히다 _____

17 행동하다 _____

18 깨닫다 _____

19 국제적으로 _____

20 같은 _____

POINT 109 분사구문

–ing로 시작하고 콤마가 나온 후 S+V가 나오므로 분사구문이다.   S   V

Spending hours in the cold, / he returned to the
= After he spent hours in the cold

house / with a load of firewood.

추운 날씨에 밖에서 많은 시간을 보낸 후 / 그는 집에 돌아왔다 / 한 짐의 장작을 가지고

⋯ 추운 날씨에 밖에서 많은 시간을 보낸 후 그는 한 짐의 장작을 가지고 집으로 돌아왔다.

Grammar Point

❶ -ing/-ed로 시작하고 콤마가 나온 후, 뒤에 S+V가 나오면 분사구문이다.

❷ 접속사와 주어는 사라지고 분사의 형태만 남는다.

❸ 접속사가 살아있는 경우도 있다.

Though being poor, she is happy. 비록 가난하지만, 그녀는 행복하다.

Words & Phrases

a load of
한 짐의

firewood
장작

realize
깨닫다

attention
관심

educate
교육시키다

private tutor
개인교사

complete
완료하다

instructive
교육적인

invent
발명하다

automobile
자동차

impression
인상

promising
전도유망한

executive
간부

다음 문장의 밑줄 친 부분을 해석하시오.

01 <u>Realizing it was too late to run away</u>, the donkey began to cry loudly and wildly.

02 <u>While listening to bedtime stories</u>, children enjoy their parents' attention.

03 <u>When educated by private tutors at home</u>, she enjoyed reading and writing early on.

04 <u>Working under difficult conditions</u>, your company completed the building on June 1.

05 <u>Trying to be instructive</u>, the father told his son that in about 1886 Karl Benz invented the automobile.

06 <u>Wanting to make the best possible impression</u>, the American company sent its most promising young executive.

[01 - 06] 빈칸에 알맞은 말을 넣으시오.

01

분사구문 ┌ too ~ to … 너무 ~ 해서 …할 수 없다

_____ / it was too late / to run away, / the donkey began to cry / loudly and wildly. 깨달았기에 / 너무 늦어서 / 도망갈 수가 없다라는 것을 / 당나귀는 울기 시작했다 / 크게 그리고 거칠게

해석 너무 늦어서 도망갈 수가 없다는 것을 깨달았기에, 당나귀는 크고 거칠게 울기 시작했다.

해설 내용상 인과 관계가 성립하므로 '깨달았기에, 깨달았기 때문에'의 뜻으로 능동 의미의 현재분사 Realizing이 적절하다.

02

접속사+분사

While _____ to bedtime stories, / children enjoy / their parents' attention.
잠자리 이야기를 듣는 동안 / 아이들은 즐긴다 / 그들의 부모의 관심을

해석 잠자리 이야기를 듣는 동안, 아이들은 부모들의 관심을 즐긴다.

해설 의미를 분명히 하기 위해 분사구문에 접속사가 존재하기도 한다. 빈칸에는 능동 의미의 현재분사 listening이 적절하다.

03

수동 의미, 과거분사. = being educated

When _____ / by private tutors at home, / she enjoyed / reading and writing early on. 교육받았을 때 / 집에서 가정교사에게 / 그녀는 즐겼다 / 일찍 읽고 쓰는 것을

해석 집에서 가정교사에게 교육을 받았을 때, 그녀는 일찍부터 읽고 쓰는 것을 즐겼다.

해설 수동태의 경우 being이 생략되기도 한다. 빈칸에는 수동 의미의 과거분사 educated가 적절하다.

04

분사구문

_____ under difficult conditions, / your company completed the building / on June 1. 어려운 환경 속에서 작업했음에도 불구하고 / 당신의 회사는 건물을 완성했다 / 6월 1일에

해석 어려운 환경 속에서 작업했음에도 불구하고, 당신의 회사는 6월 1일에 건물을 완공했다.

해설 뒤에 오는 내용을 봤을 때, 양보를 의미하는 '작업했음에도 불구하고'로 해석된다. 따라서 빈칸에는 능동 의미의 현재분사 Working이 적절하다.

05

분사구문

_____ to be instructive, / the father told his son / that in about 1886 / Karl Benz invented the automobile. 교육적이 되고자 노력하면서 / 아버지는 아들에게 말했다 / 약 1886년에 / 칼 벤츠는 자동차를 발명했다고

해석 교육적이 되고자 노력하면서, 아버지는 아들에게 약 1886년에 칼 벤츠가 자동차를 발명했다고 말했다.

해설 분사구문은 연결되는 두 문장에 따라서 다양하게 해석될 수도 있다. 해석상 동시동작을 나타내며, 빈칸에는 능동 의미의 현재분사 Trying이 적절하다.

06

분사구문   S   V

_____ / to make the best possible impression, / the American company sent / its most promising young executive. 원했기 때문에 / 가능한 최고의 인상을 만드는 것을 / 미국의 회사는 보냈다 / 최고의 전도유망한 젊은 간부를

해석 가능한 최고의 인상을 주기를 원했기에, 미국회사는 가장 전도유망한 젊은 간부를 보냈다.

해설 두 문장의 관계로 보아 인과관계가 성립한다. 따라서 빈칸에는 능동 의미의 현재분사 Wanting이 적절하다.

주어가 다른 분사구문

주절과 다른 주어(all these things ≠ it)를 사용한 분사구문이기 때문에, 주어를 남겨둔다.   가주어

[**All these things** being considered], / it might
= When all the things are considered

be better / to ask for the services / of a moving
                    진주어

company.

모든 것들이 고려되어졌을 때 / 더 나을 수도 있다 / 서비스를 요청하는 것이 / 이삿짐 회사에
… 모든 것을 고려할 때, 이삿짐 회사 서비스를 요청하는 것이 더 나을 수도 있다.

Grammar Point

❶ 분사구문의 주어가 다를 경우, 다른 주어를 생략하지 않고 써주어야 한다.

❷ 다른 주어가 일반적인 사람(people, they)일 경우 생략하기도 한다.

　Frankly speaking, you cannot see the book. 솔직히 말하자면, 너는 그 책을 볼 수 없다.

다음 문장의 밑줄 친 부분을 해석하시오.

01　It being a holiday, all the stores in the village were closed.

Words & Phrases

village
마을

stream
줄줄 흐르다

cheek
뺨

equal
같은

internationally
국제적으로

award
(상을) 주다

02　The bookstore being closed, she could not buy the textbook.

03　Then she turned to the nurse, tears streaming down her cheeks.

04　Other conditions being equal, we will live with you in New York.

05　There being no bridge, Jane and Tom had to swim across the river.

06　His work has been internationally recognized, his book *The Invisible Hand* being awarded the Pulitzer Prize.

[01 – 06] 빈칸에 알맞은 말을 넣으시오.

01

주어 다름 = Because it was a holiday.

It _____ a holiday, / [all the stores in the village] / were closed.
휴일이었기에 / 마을의 모든 상점은 / 닫았다

해석 휴일이었기에, 마을의 모든 상점은 문을 닫았다.

해설 두 문장의 주어(it ≠ all the stores)가 다르므로 분사구문의 주어를 써야 한다. 따라서 빈칸에는 being이 적절하다.

02

주어 다름 = Because the bookstore was closed.

The bookstore _____, / she could not buy the textbook.
서점이 닫혔기 때문에 / 그녀는 교재를 살 수가 없었다

해석 서점이 닫혔기에, 그녀는 교재를 살 수 없었다.

해설 두 문장의 주어(the bookstore ≠ she)가 다르므로 분사구문의 주어를 써야 한다. 따라서 빈칸에는 being closed가 적절하다.

03

주어 다름 = and tears streamed down ~

Then she turned to the nurse, / tears _____ down / her cheeks.
그때 그녀는 간호사를 돌아보았고 / 눈물이 흘러내렸다 / 뺨에

해석 그때 그녀는 간호사를 돌아보았고, 눈물이 그녀의 뺨에 흘러내렸다.

해설 두 문장의 주어(she ≠ tears)가 다르므로 분사구문의 주어를 써야 한다. 따라서 빈칸에는 streaming이 적절하다.

04

주어 다름 = If other conditions are equal.

Other conditions _____ equal, / we will live with you / in New York.
다른 조건이 동일하다면 / 우리는 너와 함께 살 것이다 / 뉴욕에서

해석 다른 조건이 동일하다면, 뉴욕에서 너와 함께 살 것이다.

해설 두 문장의 주어(other conditions ≠ we)가 다르므로 분사구문의 주어를 써야 한다. 따라서 빈칸에는 being이 적절하다.

05

= Because there was no bridge.

There _____ no bridge, / Jane and Tom had to swim / across the river.
다리가 없었기 때문에 / 제인과 톰은 수영을 해야만 했다 / 강을 가로질러

해석 다리가 없었기에, 제인과 톰은 강을 가로질러 수영을 해야만 했다.

해설 there 구문의 경우 분사구문으로 사용할 때 there는 그대로 두고 분사를 사용한다. 따라서 빈칸에는 being이 적절하다.

06

주어 다름 = and his book *The Invisible Hand* was awarded ~

His work has been internationally recognized, / his book *The Invisible Hand* / _____
awarded the Pulitzer Prize. 그의 작품은 국제적으로 인정받아왔다 / 그리고 그의 책 '보이지 않는 손'은 / 퓰리처상을 받았다

해석 그의 작품은 국제적으로 인정받아 왔고, 그리고 그의 책 '보이지 않는 손'은 퓰리처상을 받았다.

해설 두 문장의 주어(His work ≠ his book The Invisible Hand)가 다르므로 분사구문의 주어를 써주어야 한다. 따라서 빈칸에는 being이 적절하다.

POINT 111

being 생략 분사구문

> 맨 앞에 being 이 생략된 분사구문이다

Walking along the street, / he met her.
= While he was walking along the street

길을 따라 걷는 동안에 / 그는 그녀를 만났다
⋯ 그는 길을 따라 걷는 동안에 그녀를 만났다.

Grammar Point

❶ 분사구문의 형태가 being일 경우 생략될 수 있다.
❷ -ed, 형용사, 명사만 남은 경우에는 being이 생략된 경우이다.

Words & Phrases

along
~을 따라서

sick in bed
병상에 누운

anxious
열망하는

amazed
놀란

attention
관심

strange
이상한

injure
부상을 입히다

perform
공연하다

behave
행동하다

🔍 다음 문장의 밑줄 친 부분을 해석하시오.

01 <u>Sick in bed</u>, Jane could not go to school.

02 <u>Anxious to meet a certain famous singer</u>, he visited London.

03 <u>Amazed at all the attention being paid to her</u>, I asked if she worked at the airline.

04 <u>My roommate in college</u>, she was not strange to me.

05 <u>Injured during the play</u>, the actress couldn't perform any longer.

06 <u>Known to everyone in the town</u>, he used to always behave well.

[01 – 06] 빈칸에 알맞은 말을 넣으시오.

01

┌ Being 생략 = Being sick ~ = As[Since] she was sick ~

_____ in bed, / Jane could not go to school.

앓아누워 있어서 / 제인은 학교에 갈 수 없었다

해석 앓아누워 있어서, 제인은 학교에 갈 수 없었다.

해설 앞에 being이 생략되어 있는 분사구문으로 빈칸에는 Sick이 적절하다.

02

┌ Being 생략 = Being anxious ~ = As[Since] he was anxious ~

_____ / to meet a certain famous singer, / he visited London.

갈망해서 / 어떤 유명 가수를 만나기를 / 그는 런던을 방문했다

해석 어떤 유명가수를 만나기를 갈망해서, 그는 런던을 방문했다.

해설 앞에 being이 생략되어 있는 분사구문으로 빈칸에는 Anxious가 적절하다.

03

┌ Being 생략 = Being amazed ~ = As[Since] I was amazed ~   ~ 인지 아닌지

_____ / at all the attention / being paid to her, / I asked / if she worked at the airline.

놀라서 / 모든 관심에 / 그녀에 쏟아지는 / 나는 물었다 / 그녀가 항공사에서 일하는지 여부를

해석 그녀에게 쏟아지는 모든 관심에 놀라서, 나는 그녀가 항공사에서 일하는지 여부를 물어보았다.

해설 앞에 being이 생략되어 있는 분사구문으로 빈칸에는 Amazed가 적절하다.

04

┌ Being 생략 = Being my roommate ~ = As[Since] she was my roommate ~

_____ in college, / she was not strange to me.

대학에서 내 룸메이트였기에 / 그녀는 나에게 낯설지 않다

해석 대학 때 내 룸메이트였기 때문에, 그녀는 나에게 낯설지 않았다.

해설 앞에 being이 생략되어 있는 분사구문으로 빈칸에는 My roommate가 적절하다.

05

┌ Being 생략 = Being injured ~ = As[Since] she was injured ~

_____ during the play, / the actress couldn't perform / any longer.

연극 중에 부상을 입어서 / 그 여배우는 공연할 수 없었다 / 더 이상

해석 연극 중에 부상을 입어서, 그 여배우는 더 이상 공연을 할 수 없었다.

해설 앞에 being이 생략되어 있는 분사구문으로 빈칸에는 Injured가 적절하다.

06

┌ Being 생략 = Being known to ~ = As[Since] he was known to ~

_____ to everyone / in the town, / he used to always behave well.

모든 사람에게 알려졌기에 / 마을에 있는 / 그는 항상 잘 행동하곤 했다

해석 마을에 있는 모든 사람에게 알려졌기 때문에, 그는 항상 잘 행동하곤 했다.

해설 앞에 being이 생략되어 있는 분사구문으로 빈칸에는 Known이 적절하다.

[01–10] 다음 중 알맞은 것을 고르시오.

01 Select / Selecting scenes, film editors cut out parts that don't fit in well.

02 Founding / Founded in 427 in northeastern India, this had been one of the world's oldest universities.

03 Being / It being Monday, the gallery was not open.

04 Placed / Placing neatly beside the empty dish, there were fifteen pennies.

05 The shop being closed / was closed , I couldn't buy a cap and a ball.

06 While recognized / recognizing the value, they are determined to enhance their unique identity.

07 There being / Being no bus service, we had to walk home yesterday.

08 Raise / Raised by abusive parents, children will likely grow up violent.

09 Locating / Located 1,100 feet above sea level, Ravello has been described as closer to heaven than to the sea.

10 The weather permitting / permits , the spectacle will be easily visible to the naked eye.

어휘를 알면 **구문이 보인다!**

체크! Words & Phrases

POINT 112

☐ interview	인터뷰하다
☐ acknowledge	인정하다
☐ a variety of	다양한
☐ punish	벌주다
☐ belief	믿음
☐ rejection	거절
☐ link	연결하다
☐ skip	거르다
☐ local	지역의
☐ kidney	신장
☐ get worse	악화되다

POINT 113

☐ transport	수송하다
☐ boundary	경계
☐ imagination	상상력
☐ roll up	말다
☐ a scoop of	한 스푼의
☐ challenge	도전, 어려움
☐ unrelated	관련 없는

POINT 114

☐ raw	날, 익지 않은
☐ exhibit	전시하다, 보여주다
☐ facial	얼굴의
☐ expression	표현
☐ fold	접다
☐ tightly	단단히
☐ migrate	이주하다

★ 모르는 단어에 체크하고, 소리 내어 10번만 뜻과 함께 말해 보세요.

[01-20] 다음 빈칸에 알맞은 우리말 뜻이나 단어를 쓰시오.

01 kidney _____

02 punish _____

03 rejection _____

04 transport _____

05 boundary _____

06 belief _____

07 expression _____

08 fold _____

09 facial _____

10 a scoop of _____

11 날, 익지 않은 _____

12 상상력 _____

13 관련 없는 _____

14 악화되다 _____

15 이주하다 _____

16 도전, 어려움 _____

17 인정하다 _____

18 거르다 _____

19 지역의 _____

20 전시하다, 보여주다 _____

POINT 112 명사 + 분사

'who were'가 생략된 것으로 보기도 한다.

They interviewed people / **acknowledged** as
successful / in a wide variety of fields.

명사 뒤에 오는 분사는 대부분 그 명사를 수식한다

그들은 사람들을 인터뷰했다 / 성공한 것으로 알려진 / 다양한 분야에서
···› 그들은 다양한 분야에서 성공한 것으로 알려진 사람들을 인터뷰했다.

Grammar Point

❶ 명사 뒤에 오는 분사는 그 명사에 대한 수식을 담당한다.

명사   -ing/-ed

❷ [관계대명사 + be동사]가 생략된 것으로 보기도 한다.

Words & Phrases

interview
인터뷰하다

acknowledge
인정하다

a variety of
다양한

punish
벌주다

belief
믿음

rejection
거절

link
연결하다

skip
거르다

local
지역의

say
(글·표지등이) ~라고 쓰여 있다

kidney
신장

get worse
악화되다

 다음 문장의 밑줄 친 부분을 해석하시오.

01 He wrote a letter <u>asking his father to punish him</u>.

02 The rejection increased their beliefs <u>linking money to a better life</u>.

03 When you skip breakfast, you are like a car <u>trying to run without fuel</u>.

04 People <u>speaking many different languages</u> are visiting these cities.

05 On the first floor, there is a collection of pictures <u>painted by our local artist</u>.

06 He got a letter from his mother <u>saying that her kidney problem was getting worse</u>.

[01 – 06] 빈칸에 알맞은 말을 넣으시오.

01

He wrote a letter / ＿＿＿＿＿＿＿ his father to punish him.

그는 편지를 썼다 / 아버지에게 자신을 벌줄 것을 요구하는

해석 그는 아버지에게 자신을 벌줄 것을 요구하는 편지를 썼다.

해설 a letter를 뒤에 오는 현재분사 asking이 수식하는 구조이다.

02

The rejection increased their beliefs / ＿＿＿＿＿＿＿ money / to a better life.

거절은 그의 믿음을 증가시켰다 / 돈을 연결하는 / 더 나은 삶과

해석 그 거절은 돈과 더 나은 삶을 관련짓는 그들의 믿음을 증가시켰다.

해설 their beliefs를 뒤에 오는 현재분사 linking이 수식하는 구조이다.

03

When you skip breakfast, / you are like a car / ＿＿＿＿＿＿＿ to run without fuel.

여러분들이 아침을 거를 때 / 여러분은 자동차와 같다 / 연료 없이 가려고 하는

해석 여러분이 아침을 거를 때, 여러분은 연료 없이 가려고 노력하는 자동차와 같다.

해설 a car를 뒤에 오는 현재분사 trying이 수식하는 구조이다.

04

    S   V

[People / ＿＿＿＿＿＿＿ many different languages] / are visiting these cities.

사람들이 / 많은 다른 언어로 말하는 / 이 도시들을 방문하고 있다

해석 많은 다른 언어로 말하는 사람들이 이 도시들을 방문하고 있다.

해설 주어인 People을 현재분사인 speaking이 수식하는 구조이다.

05

On the first floor, / there is a collection of pictures / ＿＿＿＿＿＿＿ by our local artist.

1층에는 / 그림들이 모여져 있다 / 우리 지역의 화가가 그린

해석 1층에는 우리 지역의 화가가 그린 그림들이 모여 있다.

해설 pictures를 뒤에 오는 과거분사 painted가 수식하는 구조이다.

06

    S   V

He got a letter / from his mother / ＿＿＿＿＿＿＿ / that her kidney problem was getting worse.

그는 편지를 받았다 / 엄마로부터 / 쓰여 있는 / 그녀의 신장 문제가 악화되고 있다는

해석 그는 엄마로부터 그녀의 신장 문제가 악화되고 있다는 편지를 받았다.

해설 a letter를 뒤에 오는 현재분사 saying이 수식하는 구조이다.

문장 뒤에 오는 분사구문

분사의 주어는 stories이며, 'and'로 해석하면 된다.

Stories transport the reader, / **crossing** boundaries

↳ = and cross

/ of time, space, and imagination.

이야기들은 독자를 이동시킨다 / 경계를 넘어 / 시간과 공간과 상상력의

⋯→ 이야기들은 시간과 공간과 상상력의 경계를 넘어 독자를 이동시킨다.

Grammar Point

❶ 문장 뒤에 오는 분사는 보통 동시상황으로 'and'로 해석하면 된다.

❷ 간혹 앞에 있는 명사나 대명사를 수식하기도 한다.

Molly supported her son, trying to write a new novel.

Molly는 새로운 소설을 쓰려고 노력하는 자신의 아들을 지원했다.

Words & Phrases

transport
수송하다

boundary
경계

imagination
상상력

roll up
말다

a scoop of
한 스푼의

challenge
도전, 어려움

patient
환자

unrelated
관련 없는

a variety of
다양한

subject
주제

다음 중 알맞은 것을 고르시오.

01 Kevin was walking around at school in the early morning, waited / waiting for the first bell to ring.

02 Sam rolled up a waffle and put a scoop of ice cream on top, create / creating one of the world's first ice-cream cones.

03 Welcome new challenges at every turn, said / saying yes as often as possible.

04 The patient had to stay in a small, hot room, covering / covered in the heaviest clothing and blankets.

05 In six hours the sun will kill viruses and bacteria in the water, make / making it safe to drink.

[01 – 05] 빈칸에 알맞은 말을 넣으시오.

01

V

Kevin was walking around at school / in the early morning, / _____ for the first bell to ring. 케빈은 학교 주변을 걷고 있었다 / 이른 아침에 / 첫 번째 종이 울리기를 기다리면서

해석 케빈이 학교 첫 종이 울리기를 기다리면서 이른 아침 학교 주변을 서성이고 있었다.

해설 본동사는 앞에 있는 was walking이다. 두 개의 문장을 연결하는 접속사나 관계사가 없으므로 분사가 와야 한다. 내용상 능동이므로 현재분사 waiting이 적절하다.

02

❶ ❷ ┌ 분사구문 '그리고 만들었다'

Sam rolled up a waffle / and put a scoop of ice-cream / on top, / _____ one of the world's first ice-cream cones.

샘은 와플을 말았고 / 아이스크림 한 스쿱을 떠서 / 위에 올렸다 / 그리고 세계 최초의 아이스크림 콘 중 하나를 만들었다.

해석 샘은 와플을 말고, 맨 위에 아이스크림 한 스쿱을 올렸고, 세계 최초의 아이스크림 콘 중 하나를 만들었다.

해설 본동사는 앞에 있는 rolled와 put이다. 접속사가 and 하나뿐이므로 분사가 와야 한다. 내용상 능동이므로 현재분사 creating이 적절하다.

03

V – 명령문 ┌ 동시상황, 분사구문 '말하면서'

Welcome new challenges / at every turn, / _____ yes / as often as possible.

새로운 도전을 환영해라 / 매번 / '네'라고 말하면서 / 가능한 한 자주

해석 가능한 한 자주 '네'라고 말하면서 매번 새로운 도전을 환영해라.

해설 본동사는 앞에 있는 welcome이며, 이 문장은 명령문이다. 두 개의 문장을 연결하는 접속사나 관계사가 없으므로 분사가 와야 한다. 내용상 능동이므로 현재분사 saying이 적절하다.

04

V ┌ 동시상황, 분사구문 '덮인 채로'

The patient had to stay / in a small, hot room, / _____ in the heaviest clothing and blankets. 환자는 머물러야 했다 / 작은 더운 방에 / 가장 무거운 옷과 담요에 덮인 채로

해석 환자는 가장 무거운 옷과 담요에 덮여 있는 채로 작은 더운 방에 머물러야 했다.

해설 본동사는 앞에 있는 had to stay이다. 두 개의 문장을 연결하는 접속사나 관계사가 없으므로 분사가 와야 한다. 내용상 수동이므로 과거분사 covered가 적절하다.

05

V ┌ 분사구문 '그리고 만든다'

In six hours / the sun will kill viruses and bacteria / in the water, / _____ it safe / to drink. 6시간이 지나면 / 태양은 바이러스와 박테리아를 죽일 것이다 / 물에 있는 / 그리고 이는 안전하게 만들 것이다 / 마시는 것을

가목적어–진목적어

해석 6시간이 지나면 태양은 물속의 바이러스와 박테리아를 죽일 것이고, 이는 마시는 것을 안전하게 할 것이다.

해설 본동사는 앞에 있는 will kill이다. 문장이 2개인데 접속사나 관계사가 없으므로 분사가 와야 한다. 따라서 making이 적절하다.

POINT 114 with+명사+분사

[with+명사+-ing/-ed] 표현은 동시상황을 표현한다.

With my guests waiting / at the table, / I opened the oven / and saw a pink, raw chicken.

↳ 앞의 명사 my guests에 대한 상황 설명이 나온다.

손님이 기다리면서 / 테이블에서 / 나는 오븐을 열었다 / 그리고 분홍색의 익지 않은 닭을 보았다

⋯ 손님들을 테이블에서 기다리고 있으면서 오븐을 열어보니, 닭은 분홍색의 익지 않은 상태였다.

Grammar Point

❶ [with+명사/대명사+분사(-ing/-ed)/형용사] 표현은 일종의 동시상황을 나타낸다.

❷ '~하면서/~한 채로'로 해석하면 된다.

🔍 다음 중 알맞은 것을 고르시오.

Words & Phrases

raw
날, 익지 않은

blow
불다

exhibit
전시하다, 보여주다

facial
얼굴의

expression
표현

fold
접다

tightly
단단히

client
고객

several
몇몇의

migrate
이주하다

01 We played soccer with the wind ⌐blowing / blow⌐ .

02 Your friend exhibits no facial expression, with arms ⌐folding / folded⌐ tightly.

03 Tom and his children were watching TV with his wife ⌐cook / cooking⌐ .

04 She was sitting on the table and listening to me with her legs ⌐cross / crossed⌐ .

05 We've had clients come into our office with their shopping bags ⌐fill / filled⌐ with several items.

06 They migrate from August to December, with males ⌐moving / move⌐ south before the females and their babies.

[01-06] 빈칸에 알맞은 말을 넣으시오.

01

— with+명사+분사 → 동시상황

We played soccer / with the wind _____.

우리는 축구를 했다 / 바람이 부는 상태에서

해석 우리는 바람이 부는 상태에서, 축구를 했다.

해설 [with+명사+분사]로 동시상황을 표현한다. 내용상 능동이므로 현재 분사인 blowing이 적절하다.

02

— with+명사+분사 → 동시상황

Your friend exhibits no facial expression, / with arms _____ tightly.

└수동관계┘

당신의 친구는 어떠한 얼굴 표정도 보여주지 않는다 / 팔을 꽉 낀 채로

해석 당신의 친구는 팔을 꽉 낀 채로 어떠한 얼굴 표정도 보여주지 않는다.

해설 [with+명사+분사]로 동시상황을 표현한다. arms와 fold의 관계가 수동관계이므로 과거분사 folded가 적절하다.

03

— with+명사+분사 → 동시상황

Tom and his children were watching TV / with his wife _____.

톰과 그의 아이들은 TV를 보고 있었다 / 그의 아내가 요리를 하는 동안

해석 그의 아내가 요리를 하는 동안 톰과 아이들은 TV를 보고 있었다.

해설 [with+명사+분사]로 동시상황을 표현한다. 따라서 분사인 cooking이 적절하다.

04

❶   ❷   — with+명사+분사 → 동시상황

She was sitting on the table / and listening to me / with her legs _____.

그녀는 탁자 위에 앉아 있다 / 그리고 내 말을 듣고 있다 / 다리를 꼰 채로

해석 그녀는 다리를 꼰 채로 탁자 위에 앉아서 내 말을 듣고 있었다.

해설 [with+명사+분사]로 동시상황을 표현한다. her legs와 cross는 서로 수동관계이므로 과거분사인 crossed가 적절하다.

05

— 사역동사+목적어+원형부정사   — with+명사+분사 → 동시상황

We've had / clients / come into our office / with their shopping bags _____ / with several items. 우리는 하게 해왔다 / 고객들이 / 사무실로 오도록 / 쇼핑백을 채운 채로 / 몇 가지 물품으로

해석 우리는 고객들이 쇼핑백을 몇 가지 물품으로 채운 채 사무실로 들어오게 했다.

해설 [with+명사+분사]로 동시상황을 표현한다. shopping bags와 fill이 관계가 수동관계이므로 과거분사 filled가 적절하다.

06

— with+명사+분사 → 동시상황

They migrate from August to December, / with males _____ south / before the females and their babies. 그들은 8월에서 12월에 이동한다 / 수컷들이 남쪽으로 이동하면서 / 암컷과 아이들에 앞서

해석 수컷들은 암컷과 새끼들에 앞서 남쪽으로 이동하면서 8월에서 12월에 이동한다.

해설 [with+명사+분사]로 동시상황을 표현한다. 내용상 능동이므로 현재분사인 moving이 적절하다.

Point (112~114) Review

[01 – 10] 다음 중 알맞은 것을 고르시오.

01 I have a picture of my grandpa hold / holding me when I was two.

02 They cannot concentrate on their project with Jane stand / standing there.

03 The repeated experience brings back the initial emotions causing / caused by the book.

04 He started to draw the outline of the zebra's body, adding / added more details.

05 I had read many news stories describing / described crash scenes and imagined these scenes happening to me.

06 I walked across to a cafe and sat down at a table, put / putting my bag on the seat beside me.

07 This is a time machine, taking / take us back into the past or even giving us a glimpse of the future.

08 He was reading a book with his wife knitted / knitting beside him.

09 I thanked the bus driver and walked to my door, thinking / thought that I would never forget his kindness.

10 Young people graduate / graduating from school quickly grow impatient with their unattractive, low-level jobs.

어휘를 알면 **구문이 보인다!**

POINT 115

☐ satisfied	만족한
☐ likewise	마찬가지로
☐ remove	제거하다
☐ detail	세부설명
☐ confusing	혼동스러운
☐ pleasing	재미난
☐ embarrassed	당황한
☐ frustrating	좌절감을 주는

POINT 116

☐ out of fashion	유행이 지난
☐ toddler	아자아장 걷는 아이
☐ merrily	즐겁게
☐ arrest	체포하다
☐ dot	점
☐ overlap	겹쳐놓다
☐ security	보안
☐ promote	승진시키다

POINT 117

☐ develop	발전시키다
☐ self-confidence	자신감
☐ sample	표본을 채집하다
☐ chase	추적하다
☐ lower	낮추다
☐ blood pressure	혈압
☐ claim	주장하다
☐ decrease	감소
☐ chemical	화학물질

★ 모르는 단어에 체크하고, 소리 내어 10번만 뜻과 함께 말해 보세요.

[01 - 20] 다음 빈칸에 알맞은 우리말 뜻이나 단어를 쓰시오.

01 merrily _____

02 arrest _____

03 detail _____

04 confusing _____

05 overlap _____

06 pleasing _____

07 promote _____

08 chemical _____

09 blood pressure _____

10 claim _____

11 당황한 _____

12 좌절감을 주는 _____

13 아자아장 걷는 아이 _____

14 낮추다 _____

15 보안 _____

16 유행이 지난 _____

17 추적하다 _____

18 감소 _____

19 만족한 _____

20 제거하다 _____

115 감정동사의 분사형

exciting의 대상은 **the ads**, 광고가 흥미진진한 감정을 줌

Although **the ads** may look **exciting** and fun, / they can be very dangerous / for children.

그 광고들이 비록 흥미진진하고 재미있어 보일지라도 / 그들은 매우 위험할 수 있다 / 아이들에게

··· 그 광고들이 흥미롭고 재미있더라고 아이들에게는 매우 위험할 수 있다.

Grammar Point

※ 감정을 느끼게 만들면 현재분사(-ing) vs. 감정을 느끼면 과거분사(-ed)

an exciting game 흥미진진한 게임	vs.	**an excited boy** 흥분한 소년
··➔ 게임이 흥미진진한 감정을 줌		··➔ 소년이 흥분함

Words & Phrases

satisfying
만족스런

satisfied
만족한

likewise
마찬가지로

remove
제거하다

detail
세부 사항

confusing
혼동스러운

confused
혼동한

pleasing
재미난

pleased
즐거운

embarrassing
당황스러운

embarrassed
당황한

frustrating
좌절감을 주는

frustrated
좌절한

다음 중 알맞은 것을 고르시오.

01 Having a full stomach makes people feel satisfying / satisfied and happier.

02 Likewise, the map must remove details that would be confusing / confused .

03 I can see why it was your first choice, and I am very pleasing / pleased for you.

04 Television makes us feel confusing / confused about what is real and what is not.

05 A hug may be embarrassing / embarrassed if it's done when a teenager is with his friends.

06 The baby keeps trying to stand up and gets more and more frustrating / frustrated .

[01 – 06] 빈칸에 알맞은 말을 넣으시오.

01

S   V   ― 사람이 만족함을 느낌 → 과거분사

[Having a full stomach] / makes people / feel ＿＿＿＿＿＿ and happier.

포만감을 가지는 것은 / 사람을 만든다 / 만족감과 더 행복함을 느끼도록

해석 포만감을 가진다는 것은 사람들이 만족감과 더 행복함을 느끼도록 만든다.

해설 People이 만족감을 느끼므로 과거분사 satisfied가 적절하다.

02

             '혼란'을 주고 있음 → 현재분사

Likewise, / the map must remove details / that would be ＿＿＿＿＿.

마찬가지로 / 지도는 세부사항을 제거해야만 한다 / 혼란을 줄 수도 있는

해석 마찬가지로, 지도는 혼란을 줄 수도 있는 세부사항을 제거해야만 한다.

해설 details가 혼란함을 주는 내용이므로 현재분사인 confusing이 적절하다.

03

              ― '기쁨'을 느낌 → 과거분사

I can see / why it was your first choice, / and I am very ＿＿＿＿＿ / for you.

나는 알 수 있다 / 왜 그것이 너의 첫 번째 선택이었는지 / 그리고 나는 매우 기쁘다 / 네 덕분에

해석 나는 그것이 왜 너의 첫 번째 선택인지 알 수 있고, 나는 네 덕분에 매우 기뻐.

해설 I가 기쁨을 느끼고 있으므로 과거분사인 pleased가 적절하다.

04

       ― 혼란함을 느낌 → 과거분사

Television makes us / feel ＿＿＿＿＿ / about what is real / and what is not.

TV는 우리를 만든다 / 혼란함을 느끼도록 / 실재하는 것과 / 그렇지 않은 것에 대해서

해석 TV는 우리가 실재하는 것과 그렇지 않은 것에 대해서 혼동을 느끼도록 만든다.

해설 us가 혼란함을 느끼므로 과거분사 confused가 적절하다.

05

    ― 당혹감을 줌 → 현재분사

A hug may be ＿＿＿＿＿ / if it's done / when a teenager is with his friends.

포옹은 당혹감을 줄지도 모른다 / 그것이 행해지면 / 십 대가 그의 친구와 함께 있을 때

해석 십 대가 친구들과 함께 있을 때 포옹이 이루어진다면, 그것은 당황스러울 것이다.

해설 hug(포옹)가 당혹감을 주고 있으므로 현재분사 embarrassing이 적절하다.

06

            ― '좌절감'을 느끼고 있음 → 과거분사

The baby keeps trying to stand up / and gets more and more ＿＿＿＿＿.

그 아기는 계속 노력한다 / 일어서려고 / 그리고 더더욱 좌절감을 느낀다

해석 그 아기는 일어서려고 계속 노력하고 점점 더 좌절감을 느끼고 있다.

해설 The baby가 좌절감을 느끼고 있으므로 과거분사 frustrated가 적절하다.

분사구문의 부정과 시제

knowing not (X)

Then he tried to speak again, / **not knowing** / what
to say.

분사구문의 부정은 부정어를 앞에 둔다.

그리고 그는 다시 말하고자 애썼다 / 알지 못한 채 / 무엇을 말할지

⋯ 그는 무엇을 말할지 알지 못한 채, 다시 말하려고 애썼다.

Grammar Point

❶ 분사의 부정은 부정어를 분사 앞에 둔다. not knowing, never known
❷ having+p.p.는 과거 사건 혹은 주절보다 앞선 사건을 의미한다.
Having finished his report, he was ready to go out.
그는 그의 보고서를 끝낸 다음에, 나갈 준비를 했다.

다음 중 알맞은 것을 고르시오.

01 Living / Having lived in Germany as a child, she can speak German
now.

02 Being bought / Having been bought 3 years ago, the jeans are out of
fashion now.

03 A toddler played at his mother's feet merrily, noticing not / not noticing
her sadness.

04 Having taken / Taken money from that company last month, he is
being arrested by the police now.

05 The green could be painted as many small dots on the same paper,
never overlapping / overlapping never the red dots.

06 The security guard was standing, knowing not / not knowing that he
was going to be promoted to head of security tomorrow.

Words & Phrases

out of fashion
유행이 지난

toddler
아자아장 걷는 아이

merrily
즐겁게

arrest
체포하다

dot
점

overlap
겹쳐놓다

security
보안

promote
승진시키다

[01 – 06] 빈칸에 알맞은 말을 넣으시오.

01
┌─ 주절보다 앞선 시제
_____ in Germany / as a child, / she can speak German now.
독일에서 살아서 / 어렸을 때 / 그녀는 지금 독일어를 말할 수 있다

해석 어릴 때 독일에서 살았기 때문에, 그녀는 지금 독일어를 말할 수 있다.

해설 주절의 사건(현재)보다 앞선 시제이므로 Having lived가 적절하다.

02
┌─ 주절보다 앞선 시제(과거)
_____ 3 years ago, / the jeans are out of fashion now.
3년 전에 구매했기 때문에 / 그 청바지들은 지금 구식이다

해석 3년 전에 구매한 것이라서 그 청바지는 지금은 구식이다.

해설 주절의 사건(현재)보다 앞선 시제이므로 Having been bought가 적절하다.

03
┌─ 부정어+분사
A toddler played / at his mother's feet merrily, / _____ her sadness.
어린 아이는 놀았다 / 엄마의 발 근처에서 즐겁게 / 그녀의 슬픔을 알아차리지 못한 채

해석 어린 아이는 엄마의 슬픔을 알아차리지 못한 채, 엄마의 발 근처에서 즐겁게 놀았다.

해설 분사의 부정어는 분사 앞에 위치해야 하므로 not noticing이 적절하다.

04
┌─ 주절보다 앞선 시제
_____ money / from that company / last month, / he is being arrested / by the
police now. 돈을 가져가서 / 그 회사에서 / 지난 달 / 그는 체포되고 있다 / 경찰에 의해서 지금

해석 그는 회사에서 지난 달 돈을 횡령했기 때문에 지금 경찰에 의해서 체포되고 있다.

해설 주절의 사건(현재)보다 앞선 시제이므로 Having taken이 적절하다.

05
┌─ 부정어+분사
The green could be painted / as many small dots / on the same paper, / _____
the red dots. 녹색이 칠해질 수 있을 것이다 / 많은 작은 점들로서 / 같은 종이에 / 빨간 점들과 절대로 겹치지 않은 채

해석 녹색이 빨간 점들과 절대로 겹치지 않은 채, 같은 종이에 많은 작은 점으로서 칠해질 수 있을 것이다.

해설 분사의 부정어는 분사 앞에 위치해야 하므로 never overlapping이 적절하다.

06
┌─ 부정어+분사
The security guard was standing, / _____ / that he was going to be promoted
/ to head of security tomorrow. 보안 요원은 서 있었다 / 알지 못한 채 / 그가 승진할 것이라는 것을 / 내일 보안 책임자로

해석 보안 요원은 내일 자신이 보안 책임자로 승진할 것이라는 사실을 알지 못한 채 서 있었다.

해설 분사의 부정어는 분사 앞에 위치해야 하므로 not knowing이 적절하다.

주의해야 할 분사구문

                    S   V   ┌─ help+O+동사원형 ─┐
Musical training continues to **help** / them **develop**

                          need와 the self-confidence의 관계가 서로 수동이다
the self-confidence / **needed to succeed in school.**

음악 훈련은 계속 도움을 준다 / 그들이 자신감을 발전시키도록 / 학교에서 성공하기 위해서 필요한

⋯▸ 음악 훈련은 아이들이 학교에서 성공하는 데 필요한 자신감을 계발하도록 계속 도움을 준다.

Grammar Point

❶ 분사와 수식을 받는 명사의 관계가 능동이라면 현재분사(-ing)

❷ 분사와 수식을 받는 명사의 관계가 수동이라면 과거분사(-ed/p.p.)

Words & Phrases

develop
발전시키다

self-confidence
자신감

sample
표본을 채집하다

chase
추적하다

bean
콩

lower
낮추다

blood pressure
혈압

claim
주장하다

decrease
감소

chemical
화학물질

 다음 중 알맞은 것을 고르시오.

01 She sampled the bacteria | living / lived | on the jeans.

02 One story was about a guy | chasing / chased | by a big dog.

03 Once | cooking / cooked |, beans can help lower blood pressure.

04 Don't leave the reader | guessing / guessed | about Laura's beautiful hair.

05 The monkeys aren't born | knowing / known | the meaning of each of these sounds.

06 Some doctors claim the decrease could be linked to chemicals | producing / produced | in the blood.

[01 – 06] 빈칸에 알맞은 말을 넣으시오.

01

자동사(수동 불가)

She sampled the bacteria /   on the jeans.

그녀는 박테리아의 표본을 채집했다 / 청바지에 살고 있는

해석 그녀는 청바지에 서식하는 박테리아를 채집했다.

해설 live는 자동사이며 the bacteria를 수식하고 있으므로 현재분사 living이 적절하다.

02

One story was about a guy /   by a big dog.

수동관계

한 이야기는 한 남자에 관한 것이었다 / 큰 개에 의해 쫓기는

해석 한 이야기는 큰 개에 의해 쫓기는 한 남자에 관한 것이었다.

해설 수식을 받는 a guy와 chase의 관계가 수동관계이므로 chased가 적절하다.

03

수동관계

Once   , / beans can help / lower blood pressure.

일단 조리가 되면 / 콩은 도울 수 있다 / 혈압을 낮추는 데

해석 일단 조리가 되면, 콩은 혈압을 낮추는 데 도움이 된다.

해설 주어인 beans와 cook의 관계는 수동관계이므로 cooked가 적절하다.

04

V   O   OC

Don't leave the reader /   about Laura's beautiful hair.

능동관계

독자를 남겨두지 마라 / 로라의 아름다운 머리카락에 대해서 추측하도록

해석 독자가 로라의 아름다운 머리카락을 추측하도록 하지 마라.

해설 목적어인 the reader와 목적격 보어인 guess의 관계가 능동(독자가 추측할 수 있으므로) 관계이므로 현재분사 guessing이 적절하다.

05

능동관계

The monkeys aren't born /   the meaning of each / of these sounds.

원숭이는 태어나지 않는다 / 각각의 의미를 안 채로 / 이러한 소리의

해석 원숭이는 이러한 소리의 각 의미를 안 채로 태어나지 않는다.

해설 know와 주어인 The monkeys의 관계는 능동관계이므로 현재분사 knowing이 적절하다.

06

S   V   that 생략

Some doctors claim / the decrease could be linked / to chemicals /   in the

수동관계

blood. 일부 의사들은 주장한다 / 그러한 감소는 연결될 수 있다고 / 화학물질에 / 혈액에서 만들어지는

해석 일부 의사들은 그러한 감소는 혈액 속에서 생산된 화학물질과 연관이 있을 수 있다고 주장한다.

해설 수식을 받는 chemicals와 produce의 관계가 수동관계이므로 과거분사 produced가 적절하다.

Point (115~117) Review

📍 p.20

[01 – 10] 다음 중 알맞은 것을 고르시오.

01   The store was trying to keep its customers satisfied / satisfying .

02   Students can also build their creative skills by seeing scientific principles using / used
     in different ways.

03   With a simple adjustment of focus, they will feel pleasing / pleased with their work.

04   Less than one percent of the material sends / sent to publishers is ever published.

05   Many features, such as swimming pools, tennis courts, and fitness centers make the
     resort fascinating / fascinated .

06   He wrote a letter saying / said that a hospital is providing free medical treatment for
     patients.

07   If you want to improve muscles, it can be very tempting / tempted to really push your
     body beyond its limits.

08   The bridge is made of steel safely fixing / fixed in 13 tons of concrete on either side of
     the valley.

09   Some thirty years later, she finds it interesting / interested to consider why Ashley did
     so.

10   We brush the snow, and start for the woods across an open field covering / covered
     with a deep blanket of snow.

[01 – 10] 다음 중 알맞은 것을 고르시오.

01 He looked exhausting / exhausted , so I made him pack up his books and go to bed.

02 In spring, the females slowly become active, fly / flying around looking for food.

03 You can use the board as a place to post all notes reminding / reminded you of things you have to do for your classes.

04 Amy walked back to her seat, satisfying / satisfied with her academic performance.

05 Watching / Having watched the movie a few days ago, he doesn't want to watch it again.

06 In a concert holding / held in Yokohama, four bicycles were set up and connected to a generator.

07 She stood there, with her arms fold / folded in front of her chest.

08 The king had come from the palace on his horse, and ridden alone through the streets, greet / greeting his people.

09 You get dressed in clothes making / made of cotton grown in Georgia.

10 You're obviously interested, and it sounds encouraging / encouraged to your ears.

접속사

Conjunctions

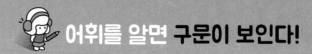
어휘를 알면 **구문이 보인다!**

POINT 118

☐ pleased	기쁜
☐ exhausted	매우 지친
☐ anxiety	걱정, 불안
☐ nervous	긴장한
☐ public speaking	연설
☐ driverless	운전수가 없는
☐ operate	작동하다
☐ greenhouse effect	온실효과
☐ reputation	평판

POINT 119

☐ salary	임금
☐ general	일반적인
☐ respect	존경
☐ accessible	접근가능한
☐ increasingly	점차
☐ encourage	격려하다, 부추기다
☐ enable	할 수 있게 하다
☐ interaction	상호작용

POINT 120

☐ patience	인내
☐ devote oneself to	~에 전념하다
☐ legal	법의
☐ advantage	장점, 이점
☐ familiarity	친숙함
☐ renewed	새로워진
☐ mention	언급하다
☐ compete	경쟁하다

★ 모르는 단어에 체크하고, 소리 내어 10번만 뜻과 함께 말해 보세요.

[01 – 20] 다음 빈칸에 알맞은 우리말 뜻이나 단어를 쓰시오.

01 exhausted _____

02 nervous _____

03 public speaking _____

04 legal _____

05 advantage _____

06 mention _____

07 compete _____

08 encourage _____

09 reputation _____

10 enable _____

11 상호작용 _____

12 걱정, 불안 _____

13 접근가능한 _____

14 점차 _____

15 친숙함 _____

16 ~에 전념하다 _____

17 존경 _____

18 임금 _____

19 일반적인 _____

20 작동하다 _____

118 접속사 that

동사 **prove**의 목적절을 이끄는 접속사로 사용

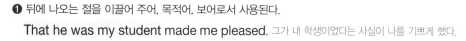

I have proven to myself / **that** I could do anything / I put my mind to.

나는 스스로에게 증명했다 / 내가 무엇이든 할 수 있다고 / 내가 마음먹은
··· 내가 마음먹은 어떤 것이든지 할 수 있다고 내 스스로에게 증명했다.

Grammar Point

❶ 뒤에 나오는 절을 이끌어 주어, 목적어, 보어로서 사용된다.
That he was my student made me pleased. 그가 내 학생이었다는 사실이 나를 기쁘게 했다.

❷ the fact, the idea 등의 단어를 설명하는 동격절로 사용된다.
He proved the fact that the Earth is round. 그는 지구가 둥글다는 사실을 증명했다.

❸ so, such 등과 함께 쓰여 결과를 나타내기도 한다.
She is so pretty that everyone likes her. 그녀는 너무 예뻐서, 모든 사람들이 그녀를 좋아한다.

❹ 감정형용사와 함께 쓰여 감정의 원인을 나타내기도 한다.
He is happy that he met his mother. 엄마를 만나서 그는 행복하다.

❺ 접속사 that 뒤에는 완전한 절이 온다.

다음 중 알맞은 것을 고르시오.

Words & Phrases

pleased
기쁜

exhausted
매우 지친

anxiety
걱정, 불안

nervous
긴장한

public speaking
연설

driverless
운전수가 없는

operate
작동하다

carbon dioxide
이산화탄소

greenhouse effect
온실효과

reputation
평판

01 She developed the idea ⌐ that / which ⌐ milk improves one's intellect.

02 She was so exhausted ⌐ which / that ⌐ she was in last place in the last race.

03 Try to accept your anxiety as a signal ⌐ which / that ⌐ you are probably nervous about public speaking.

04 The best thing about driverless cars is ⌐ that / what ⌐ people won't need a license to operate them.

05 The problem is ⌐ that / what ⌐ they increase the amount of carbon dioxide in the air and cause the greenhouse effect.

06 I trust ⌐ that / what ⌐ a company of your reputation will do the right thing and take the ads off immediately.

[01 – 06] **빈칸에 알맞은 말을 넣으시오.**

01

　　　　　　　　　　　　= ┐　　┌ 동격의 접속사
She developed the idea / ＿＿＿＿＿＿ milk improves one's intellect.
그녀는 생각을 발전시켰다 / 우유가 사람의 지적능력을 개선한다는

해석 그녀는 우유가 사람의 지적능력을 개선한다는 생각을 발전시켰다.

해설 뒤에는 완전한 절이 오므로 접속사 that이 적절하다. 앞에 있는 the idea를 설명하는 동격의 접속사 that으로 쓰이고 있다.

02

　　　　┌ so ~ that …: 너무 ~ 해서 … 하다
She was so exhausted / ＿＿＿＿＿ she was in last place / in the last race.
그녀는 너무 지쳐서 / 그녀는 꼴찌였다 / 마지막 경기에서 └ 접속사

해석 그녀는 너무 지쳐서 마지막 경기에서 꼴지를 했다.

해설 뒤에 완전한 절이 오므로 접속사 that이 적절하다. so ~ that 용법으로 쓰이고 있다.

03

　　　　　　　　　　　　　　　　　　= ┐　　┌ 동격의 접속사
Try to accept your anxiety / as a signal / ＿＿＿＿＿ you are probably nervous about
public speaking. 당신의 걱정을 인정하려고 노력해라 / 신호로 / 당신이 아마도 긴장한다는 / 연설에 대해서

해석 아마도 당신이 연설에 대해서 긴장하고 있다는 신호로 당신의 걱정을 인정하도록 노력해라.

해설 뒤에는 완전한 절이 오므로 접속사 that이 적절하다. 앞에 있는 a signal을 설명하는 동격의 접속사 that으로 쓰이고 있다.

04

　　　　　　　S　　　　　　　　　　　　　V　┌ 접속사
[The best thing / about driverless cars] / is ＿＿＿＿＿ people won't need a license / to
operate them. 최고의 것은 / 무인자동차에 대한 / 사람들이 면허증이 필요없다는 것이다 / 그것들을 운행하는 데

해석 무인자동차의 최대 장점은 사람들이 그들을 운행하기 위한 면허증이 필요없다는 것이다.

해설 뒤에 완전한 절이 오므로 접속사 that이 적절하다. 문장의 보어를 이끄는 접속사로 쓰이고 있다.

05

　　　　　　　┌ 접속사　　　　　　┌ 완전한 문장
The problem is / ＿＿＿＿＿ they increase the amount of carbon dioxide / in the air /
and cause the greenhouse effect. 문제는 / 그들이 이산화탄소의 양을 증가시키고 / 대기 중에 / 온실효과를 유발한다는 것이다

해석 문제는 그들이 대기 중에 이산화탄소의 양을 증가시키고, 온실효과를 유발한다는 것이다.

해설 뒤에 완전한 절이 오므로 접속사 that이 적절하다. 문장의 보어를 이끄는 접속사로 쓰이고 있다.

06

　　　　┌ 접속사　　　　┌ 완전한 문장
I trust / ＿＿＿＿＿ a company of your reputation / will do the right thing / and take the
ads off immediately.
나는 믿는다 / 당신의 명성에 걸맞은 회사가 / 올바른 일을 할 것이라고 / 그리고 그 광고를 즉시 내릴 거라고

해석 귀사의 명성에 걸맞은 옳은 판단을 하시길 바라며, 즉시 그 광고를 내리실 것으로 믿겠습니다.

해설 뒤에 완전한 절이 오므로 접속사 that이 적절하다. 문장의 목적어를 이끄는 접속사로 쓰이고 있다.

as 구문

→ '~할 때'의 의미로 사용됨

Maybe you have watched the red sun / as it was setting in the sky.

아마도 당신은 붉은 태양을 보았다 / 그것이 하늘에서 지고 있을 때
⋯→ 아마도 하늘에서 해가 지고 있을 때 붉은 태양을 본 적이 있을 것이다.

Grammar Point

❶ as+명사: ~로서(자격)
❷ 접속사 as: ~할 때, ~함에 따라, ~이기 때문에(이유), ~이듯(비유)
❸ 형용사/명사+as+주어+동사: ~임에도 불구하고

Ⓥ **다음 문장의 밑줄 친 부분을 해석하시오.**

Words & Phrases

set
(해가) 지다

salary
임금

general
일반적인

respect
존경

accessible
접근가능한

increasingly
점차

explain
설명하다

encourage
격려하다, 부추기다

enable
할 수 있게 하다

interaction
상호작용

01 Most people fail to get happier <u>as their salaries rise</u>.

02 <u>Poor and weak as she was</u>, she won the general respect of others.

03 <u>As music becomes more accessible</u>, it is increasingly easy for it to be copied.

04 <u>As everyone already knew the materials</u>, there was no need for the teacher to explain.

05 We need to see things <u>as they are</u> even when doing so seems to put us in trouble.

06 <u>As a way to encourage TV viewing</u>, social television systems now enable social interaction among TV viewers in different locations.

[01 – 06] 빈칸에 알맞은 말을 넣으시오.

01

　　　　　　　S　　V

Most people fail to / get happier / 　　　　　　　 their salaries rise.

대부분의 사람들은 실패한다 / 더 행복해지는 데 / 그들의 월급이 오름에 따라

해석 대부분의 사람들은 그들의 월급이 인상됨에 따라 더 행복해지는 데 실패한다.

해설 '～함에 따라'라는 의미의 as가 적절하다.

02

┌ 형용사+as+S+V: 비록 ～ 임에도 불구하고

Poor and weak 　　　　　　 she was, / she won the general respect of others.

그녀가 가난하고 약함에도 불구하고 / 그녀는 다른 사람의 일반적인 존경을 받았다

해석 비록 그녀가 가난하고 약함에도 불구하고, 다른 사람의 존경을 받았다.

해설 [형용사+as+S+V: 비록 ～ 임에도 불구하고]의 양보절을 의미하는 구문이다. 따라서 as가 적절하다.

03

┌ ～함에 따라　　　　　　　　　　　　　　　　　　　　　┌ 가주어-진주어 구문 ┐

　　　　　　 music becomes more accessible, / it is increasingly easy / for it / to be

copied. 음악이 더욱 접근가능해짐에 따라 / 점차 쉽다 / 그것(음악)이 / 복제되어지는 것이　　　└ 의미상의 주어

해석 음악에 더욱 접근 가능해짐에 따라, 그것(음악)이 복제되는 것이 더 쉬워진다.

해설 '～함에 따라'라는 의미의 As가 적절하다.

04

┌ ～ 때문에　　　　　　　　　　　　　　　　　　　　　　　　┌ 의미상의 주어

　　　　　　 everyone already knew the materials, / there was no need / for the teacher /

to explain. 모든 사람들은 벌써 그 자료를 알고 있었기 때문에 / 어떠한 필요도 없었다 / 교사가 / 설명할

해석 모든 사람들이 벌써 그 자료를 알고 있었기 때문에 교사가 설명할 필요가 없었다.

해설 '～때문에'라는 의미의 As가 적절하다.

05

　　　　　　　　　　　　있는 그대로　　　　　　　　　　　S　　　　V

We need to see things / 　　　　　　 they are / even when [doing so] seems to put us in

trouble. 우리는 사물을 볼 필요가 있다 / 그들 그대로 / 심지어 그렇게 하는 것이 / 우리를 곤란하게 할 때 조차도

해석 그들이 심지어 그렇게 하는 것이 우리를 곤란하게 할 때 조차도, 사물을 있는 그대로 볼 필요가 있다.

해설 as they are는 하나의 표현으로 '있는 그대로'를 의미한다. 따라서 as가 적절하다.

06

┌ ～로서　　　　　　　　　　　　　　　　　　　　　　　　　　　　S　　　　　　　V

　　　　　　 a way / to encourage TV viewing, / social television systems / now enable

social interaction / among TV viewers / in different locations.

한 방법으로서 / TV시청을 장려하는 / 사회적 TV시스템은 / 지금 사회적 관계를 가능케 한다 / TV시청자들 사이에 / 다른 지역에 있는

해석 TV시청을 장려하는 한 방법으로서 사회적 TV시스템은 지금 다른 지역에 있는 TV시청자들 사이의 사회적 상호관계를 가능하게 한다.

해설 빈칸 뒤에 명사가 오고 자격을 의미하는 '～로서'로 사용되므로 As가 적절하다.

POINT 120 despite vs. although

뒤에 [주어+동사]가 나오므로 접속사인 **although**가 사용된다. Despite (X)

Although the teacher was a man of great patience,

/ he was hurt / by the student's behavior.

비록 그 선생님은 대단한 인내심을 가진 사람임에도 불구하고 / 그는 상처받았다 / 그 학생의 행동에 의해서

⟶ 비록 그 교사는 대단한 인내심을 가진 사람이었지만, 그 학생의 행동으로 상처를 받았다.

Grammar Point

※ 의미는 동일하지만, 품사가 다르므로 뒤에 오는 것의 성격이 다르다.

| because although while | + S+V ~ | VS. | because of despite during | + 명사(구) |

Ⓠ 다음 중 알맞은 것을 고르시오.

01 The lawyer devotes himself to his legal work [despite / although] the low salary and long hours.

02 Many schools in the country have already closed their doors [because / because of] the decreased number of students.

03 [Despite / Although] their familiarity with the stories, rereading brings renewed understanding of both the book and themselves.

04 I mention this not because I need your thanks, but [because / because of] my love for you.

05 Plants compete with others for sunlight, [because / because of] they need it to grow.

06 People receive so many Christmas cards [during / while] a season when they have too little time to read them.

Words & Phrases

patience
인내

behavior
행동

devote oneself to
전념하다

legal
법의

advantage
장점, 이점

familiarity
친숙함

renewed
새로워진

mention
언급하다

compete
경쟁하다

[01 – 06] 빈칸에 알맞은 말을 넣으시오.

01
┌ devote oneself to ~에 집중하다   ┌ + 명사(구)
The lawyer devotes himself / to his legal work / ＿＿＿＿＿ the low salary and long
hours. 변호사는 집중하고 있다 / 자신의 법률업무에 / 낮은 임금과 긴 업무 시간에도 불구하고

해석 그 변호사는 낮은 임금과 긴 업무 시간에도 불구하고, 법률 업무에 집중하고 있다.
해설 뒤에 명사구가 나오므로 전치사인 despite가 적절하다.

02
       S   V   ┌ + 명사(구)
[Many schools in the country] have already closed their doors ＿＿＿＿＿ the
decreased number of students. 그 나라의 많은 학교들은 / 벌써 문을 닫았다 / 학생 수의 감소로 인해서

해석 그 나라의 많은 학교들은 학생 수의 감소 때문에 벌써 문을 닫고 있다.
해설 뒤에 명사구가 오므로 전치사 because of가 적절하다.

03
┌ + 명사(구)   S   V
＿＿＿＿＿ their familiarity with the stories, / rereading brings renewed understanding /
of both the book and themselves.
그들의 이야기에 대한 익숙함에도 불구하고 / 다시 읽기는 새로워진 이해를 가져온다 / 그 책과 자기 자신 모두에 대한

해석 이야기의 익숙함에도 불구하고, 다시 읽기는 그 책과 자기 자신에 대한 새로운 이해를 가져온다.
해설 뒤에 명사구가 나오므로 전치사인 Despite가 적절하다.

04
                                              ┌ + 명사(구)
I mention this / not because I need your thanks, / but ＿＿＿＿＿ my love for you.
나는 이것을 언급한다 / 내가 당신이 고마움이 필요해서가 아니라 / 당신에 대한 나의 사랑때문에

해석 나는 당신의 고마움이 필요해서가 아니라 당신에 대한 나의 사랑 때문에 이것을 언급한다.
해설 뒤에 명사구가 오므로 전치사 because of가 적절하다.

05
      S   V   ┌ + S + V
Plants compete with others / for sunlight, / ＿＿＿＿＿ they need it / to grow.
식물들은 다른 식물과 경쟁한다 / 햇빛을 위해서 / 왜냐하면 햇빛이 필요하기 때문이다 / 자라기 위해서

해석 식물들이 자라기 위해 햇빛이 필요해서 식물들은 햇빛을 놓고 서로 경쟁한다.
해설 뒤에 절(S+V)이 오므로 접속사 because가 적절하다.

06
                                          ┌ + 명사(구)   ▼   ┌ 관계부사
People receive so many Christmas cards / ＿＿＿＿＿ a season / when they have too
little time / to read them. 사람들은 너무 많은 크리스마스카드를 받는다 / 기간 동안에 / 그들이 시간이 거의 없는 / 그것들을 읽을

해석 사람들은 크리스마스카드를 읽기에는 시간이 너무 적은 기간 동안에 너무 나도 많은 카드를 받는다.
해설 뒤에 관계부사 when의 수식을 받는 명사가 나오므로 전치사인 during이 적절하다.

146

Point (118~120) Review

p.22

[01-10] 다음 중 알맞은 것을 고르시오.

01   It is better [that / what] you make your mistakes early on rather than later in life.

02   Lots of teens want to work after school hours [despite / although] their parents don't like it.

03   Gandhi was so troubled by his guilt [which / that] one day he decided to tell his father what he had done.

04   The wheel and the plow were possible [because / because of] the availability of animal labor.

05   There are still concerns [despite / although] all my efforts to brush them aside.

06   The busy workers who can't find time [during / while] the day can get their exercise.

07   This finding raises the very interesting possibility [that / which] dogs may have a basic sense of fairness.

08   Many people are so caught up with their own needs [which / that] they ignore the good done for them.

09   Storing medication in the refrigerator is also not a good idea [because / because of] the moisture inside the unit.

10   The reason for special caution at the time of an eclipse is simply that more people are interested in looking at the Sun [while / during] this time.

체크! Words & Phrases

POINT 121

☐ be on fire	불이 나다
☐ shine	빛나다
☐ weigh	무게가 나가다
☐ expectation	기대, 예상
☐ turn away	돌아서다
☐ vocalize	소리 내다
☐ be about to	막 ~하려고 하다
☐ support	지원하다
☐ employee	직원

POINT 122

☐ potential	앞으로의, 잠재력
☐ grateful	고마운
☐ give up	포기하다
☐ pleasure	즐거움
☐ talent	재능
☐ allow	허락하다
☐ boredom	지루함
☐ replace	대체하다

POINT 123

☐ dishonesty	부정직
☐ be affected	영향을 받다
☐ celebrity	유명인사
☐ polite	공손한
☐ make eye contact	눈을 마주치다
☐ typically	전형적으로
☐ trap	함정
☐ negative	부정적인

★ 모르는 단어에 체크하고, 소리 내어 10번만 뜻과 함께 말해 보세요.

[01 – 20] 다음 빈칸에 알맞은 우리말 뜻이나 단어를 쓰시오.

01 vocalize
02 allow
03 be affected
04 boredom
05 pleasure
06 make eye contact
07 trap
08 potential
09 shine
10 weigh
11 고마운
12 부정적인
13 전형적으로
14 유명인사
15 대체하다
16 포기하다
17 기대, 예상
18 부정직
19 지원하다
20 직원

if vs. as if vs. even if

마치 ~인 것처럼

Sometimes the sun **looks** / **as if** it is on fire, /

especially when it is shining / through the clouds.

때때로 태양은 보인다 / 마치 그것이 불타고 있는 것처럼 / 특히 그것이 빛날 때 / 구름을 통해서

⋯ 때때로 태양은 불타고 있는 것처럼 보이기도 하는데, 특히 태양이 구름 사이로 빛나고 있을 때 그렇다.

Grammar Point

※ if, as if, even if는 의미가 아예 다르므로 그 쓰임에 주의한다.

if	~라면(조건) ~인지 아닌지	**as if**	마치 ~인 것처럼	**even if**	비록 ~일지라도 (양보)

🔍 다음 중 알맞은 것을 고르시오.

01 It can feel │ as if / even if │ the child weighs hundreds of pounds.

02 │ If / Even if │ everyone knows you bring donuts to the meeting on Friday morning, it becomes an expectation and not a surprise.

03 Fred is going to have problems finding a job │ if / even if │ he gets straight A's.

04 She turns away from her mother, and vocalizes │ even if / as if │ she is about to cry.

05 │ Even if / If │ two-year-olds support each other in difficult situations, they would not be willing to share their own toys with others.

06 │ Even if / As if │ her best friend is one of the employees, she will not talk with her.

Words & Phrases

be on fire
불이 나다

shine
빛나다

weigh
무게가 나가다

expectation
기대, 예상

turn away
돌아서다

vocalize
소리 내다

be about to
막 ~하려고 하다

support
지원하다

employee
직원

[01 – 06] 빈칸에 알맞은 말을 넣으시오.

01

┌ 마치 ~처럼
It can feel / ▨▨▨▨▨ the child weighs hundreds of pounds.
느껴질 수 있다 / 마치 아이가 수백 파운드가 나가는 것처럼

해석 마치 아이가 수백 파운드가 나가는 것처럼 느껴질 수 있다.

해설 내용상 '마치 ~처럼'의 as if가 적절하다.

02

┌ ~라면
▨▨▨▨▨ everyone knows / you bring donuts / to the meeting on Friday morning, / it
becomes an expectation / and not a surprise.
만약 모든 사람들이 안다면 / 당신이 도넛을 가지고 온다는 것을 / 금요일 아침 회의에 / 그것은 기대가 된다 / 놀람이 아니라

해석 만약 모든 사람들이 금요일 아침 회의에 당신이 도넛을 가지고 온다는 것을 안다면, 그것은 놀람이 아닌 기대가 된다.

해설 내용상 조건을 의미하는 If(~라면)가 적절하다.

03

┌ 비록 ~일지라도
Fred is going to have problems / finding a job / ▨▨▨▨▨ he gets straight A's.
프레드는 어려움을 겪을 것이다 / 직장을 구하는 데 / 비록 그가 전 과목 A학점을 받을지라도

해석 프레드가 전 과목 A학점을 받는다 할지라도 직장을 구하는 데 어려움을 겪을 것이다.

해설 주절과 종속절의 관계가 서로 대립하고 있으므로 양보를 의미하는 even if(비록 ~ 일지라도)가 적절하다.

04

❶   ❷   ┌ 마치 ~ 처럼
She turns away / from her mother, / and vocalizes / ▨▨▨▨▨ she is about to cry.
그녀는 돌아선다 / 그녀의 엄마로부터 / 그리고 소리를 낸다 / 마치 그녀가 막 울 것 같은

해석 그녀는 엄마에게서 돌아서고, 마치 막 울 것처럼 소리를 낸다.

해설 내용상 '마치 울 것처럼'이 자연스러우므로 as if가 적절하다.

05

┌ 비록 ~일지라도
▨▨▨▨▨ two-year-olds support each other / in difficult situations, / they would not be
willing to / share their own toys / with others.
비록 2살짜리 아이들이 서로를 도울 지라도 / 어려운 환경에서 / 그들은 하려고 하지 않을 것이다 / 그들의 장난감을 공유하러 / 남들과

해석 비록 2살짜리 아이들이 어려운 환경에서는 서로를 도울지라도, 그들은 다른 아이들과 자신의 장난감을 공유하려고는 하지 않을 것이다.

해설 해석상 서로를 돕는다는 것과 공유하지 않는다는 것은 서로 상충되므로 양보를 의미하는 Even if가 적절하다.

06

┌ 비록 ~일지라도
▨▨▨▨▨ her best friend is one of the employees, she will not talk with her.
비록 그녀의 절친이 직원 중 한 명이더라도 / 그녀는 친구와 이야기하지 않을 것이다

해석 비록 그녀의 절친이 직원 중 한 명이더라도, 그녀와 이야기하지 않을 것이다.

해설 친구라는 것과 친구와 이야기하지 않을 것이라는 내용은 서로 상충되므로 양보를 의미하는 Even if가 적절하다.

if vs. whether

'~한다면', whether (X)

[**If** your potential boss strongly prefers / that you start / as soon as possible,] / demand a higher salary.

내용이 '조건'을 나타내는 내용이다.

만약 당신의 미래의 상사가 강하게 선호한다면 / 당신이 시작하는 걸 / 가능한 한 빨리 / 더 높은 연봉을 요구해라
··· 장차 여러분의 상사가 될 사람이 가능한 한 빨리 여러분이 일을 시작하기를 강력히 원한다면, 더 높은 연봉을 요구하세요.

Grammar Point

※ if와 whether는 '~인지 아닌지'의 공통의 의미를 가진다.

if	whether
(1) ~라면: 조건문, 가정문 (부사절) If you want to go, you should finish it. 만약 네가 가고 싶다면, 그걸 끝내야만 해. (2) ~인지 아닌지: 명사절 ❶ 주어 (X) ❷ if+to부정사 (X) ❸ 전치사+if (X) ❹ if or not (X)	(1) ~이든 아니든: 부사절 I'm going whether you like it or not. 네가 좋아하든 안하든 난 갈 거야. (2) ~인지 아닌지: 명사절 ❶ 주어 (O) ❷ whether+to부정사 (O) ❸ 전치사+whether (O) ❹ whether or not (O)

다음 중 알맞은 것을 고르시오.

Words & Phrases

potential
앞으로의, 잠재력

grateful
고마운

give up
포기하다

pleasure
즐거움

talent
재능

allow
허락하다

bored
지루한

boredom
지루함

replace
대체하다

01 Only you can decide | if / whether | to take the costs or not.

02 We would be very grateful | if / whether | you could agree to this.

03 Telling the truth depends on | if / whether | you want to protect someone's feelings.

04 | If / Whether | I give up my pleasure, there will be more water for everyone in the future.

05 People could not care about | if / whether | they had an exciting career that used their talents.

06 | If / Whether | you allow yourself to be bored, the feelings of boredom will be replaced with feelings of peace.

[01-06] 빈칸에 알맞은 말을 넣으시오.

01

⌐ if to take (X)

Only you can decide / _____ to take the costs or not.
오직 당신만이 결정할 수 있다 / 비용을 낼지 안 낼지를

해석 오직 당신만이 비용을 낼지 안 낼지를 결정할 수 있다.

해설 뒤에 to부정사가 오므로 whether가 적절하다. if 뒤에는 to부정사가 올 수 없다.

02

⌐ 만약 ~한다면

We would be very grateful / _____ you could agree to this.
우리는 매우 고마울 것이다 / 만약 당신이 이것에 동의한다면

해석 당신이 이것에 동의한다면, 매우 고마울 것이다.

해설 내용상 가정(~한다면)의 의미가 되어야 하므로 if가 적절하다.

03

    S   V   ⌐ on if (X)

[Telling the truth] / depends on / _____ you want to / protect someone's
feelings. 사실을 말하는 것은 / 달려 있다 / 당신이 원하느냐에 / 다른 사람의 감정을 상하지 않게

해석 사실을 말하는 것은 당신이 다른 사람의 감정을 상하지 않기를 원하느냐에 달려 있다.

해설 if는 전치사의 목적어 자리에 올 수가 없으므로 whether가 적절하다.

04

⌐ 만약 ~라면

_____ I give up my pleasure, / there will be more water / for everyone in the
future. 내가 만약 나의 즐거움을 포기한다면 / 더 많은 물이 있을 것이다 / 미래의 모든 사람들을 위한

해석 내가 만약 나의 즐거움을 포기한다면, 미래의 모든 이들을 위한 더 많은 물이 있을 것이다.

해설 내용상 가정이나 조건의 의미가 되어야 하므로 If가 적절하다.

05

⌐ about if (X)

People could not care about / _____ they had an exciting career / that used
their talents. 사람들은 신경쓸 수 없었다 / 그들이 흥미로운 직업을 가졌는지에 / 그들의 재능을 사용하는

해석 사람들은 그들의 재능을 사용하는 흥미로운 직업을 가졌는지에 대해서는 신경쓸 수가 없었다.

해설 if는 전치사의 목적어 자리에 올 수가 없으므로 whether가 적절하다.

06

⌐ 만약 ~라면

_____ you allow / yourself / to be bored, / the feelings of boredom / will be
replaced / with feelings of peace.
만약 당신이 허락한다면 / 당신 스스로가 / 지루해지는 것을 / 지루함의 감정들은 / 대체될 것이다 / 평화의 감정으로

해석 만약 당신 스스로가 지루해지는 것을 허용한다면, 지루함의 감정들은 평화의 감정으로 대체될 것이다.

해설 내용상 가정이나 조건이 되어야 하므로 If가 적절하다.

123

because vs. why

^{+결과}

Dishonesty is impossible / to hide. That is **why** /

we can often tell / when someone is lying to us.

 부정직을 숨기기 불가능함(원인) → 거짓말을 하는지 알아차릴 수 있음(결과)

부정직은 불가능하다 / 숨기기가 / 그것은 이유이다 / 우리가 보통은 알아낼 수 있다 / 누군가가 거짓말할 때 / 우리에게 ··· 부정직을 숨기는 것은 불가능하다. 그렇기 때문에 우리는 보통 남들이 거짓말을 할 때 알아차릴 수 있는 것이다.

Grammar Point

❶ **that is why**는 '그것이 이유이다 / 그렇기 때문에'를 의미한다.
❷ **that is because**는 '그것은 ~ 때문이다 / 왜냐하면 ~ 이기 때문이다'를 의미한다.
❸ **because** 뒤에는 사건의 원인이 오고, **why** 뒤에는 사건의 결과가 온다.

because	+ 원인	vs.	why	+ 결과

✓ 다음 중 알맞은 것을 고르시오.

Words & Phrases

dishonesty
부정직

be affected
영향을 받다

celebrity
유명인사

polite
공손한

make eye contact
눈을 마주치다

typically
전형적으로

trap
함정

negative
부정적인

01 Some musicians steal other people's work by copying popular artists. That is why / because music licensing is important.

02 Some mosquitoes sleep through the winter cold. This is why / because they cannot move around when the temperature goes down.

03 You would worry that your kids might be affected by celebrities' personal lives. This is why / because you believe that they can be role models for kids.

04 It is not polite in East Asian cultures to make direct eye contact. That is why / because people from East Asian countries focus on the center of the face.

05 Successful people typically avoid the trap of negative self-talk. That is why / because they know it will only create more stress.

[01 – 05] 빈칸에 알맞은 말을 넣으시오.

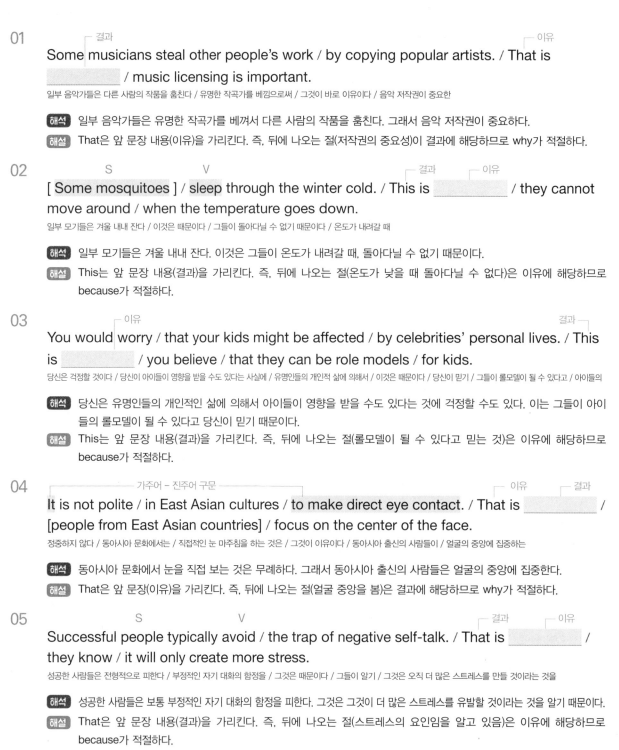

01

결과

Some musicians steal other people's work / by copying popular artists. / That is
                  이유
_____ / music licensing is important.

일부 음악가들은 다른 사람의 작품을 훔친다 / 유명한 작곡가를 베낌으로써 / 그것이 바로 이유이다 / 음악 저작권이 중요한

해석 일부 음악가들은 유명한 작곡가를 베껴서 다른 사람의 작품을 훔친다. 그래서 음악 저작권이 중요하다.

해설 That은 앞 문장 내용(이유)을 가리킨다. 즉, 뒤에 나오는 절(저작권의 중요성)이 결과에 해당하므로 why가 적절하다.

02
        S   V   결과   이유
[Some mosquitoes] / sleep through the winter cold. / This is _____ / they cannot
move around / when the temperature goes down.

일부 모기들은 겨울 내내 잔다 / 이것이 때문이다 / 그들이 돌아다닐 수 없기 때문이다 / 온도가 내려갈 때

해석 일부 모기들은 겨울 내내 잔다. 이것은 그들이 온도가 내려갈 때, 돌아다닐 수 없기 때문이다.

해설 This는 앞 문장 내용(결과)을 가리킨다. 즉, 뒤에 나오는 절(온도가 낮을 때 돌아다닐 수 없다)은 이유에 해당하므로
because가 적절하다.

03
             이유   결과
You would worry / that your kids might be affected / by celebrities' personal lives. / This
is _____ / you believe / that they can be role models / for kids.

당신은 걱정할 것이다 / 당신이 아이들이 영향을 받을 수도 있다는 사실에 / 유명인들의 개인적 삶에 의해서 / 이것은 때문이다 / 당신이 믿기 / 그들이 롤모델이 될 수 있다고 / 아이들의

해석 당신은 유명인들의 개인적인 삶에 의해서 아이들이 영향을 받을 수도 있다는 것에 걱정할 수도 있다. 이는 그들이 아이
들의 롤모델이 될 수 있다고 당신이 믿기 때문이다.

해설 This는 앞 문장 내용(결과)을 가리킨다. 즉, 뒤에 나오는 절(롤모델이 될 수 있다고 믿는 것)은 이유에 해당하므로
because가 적절하다.

04
          가주어 – 진주어 구문   이유   결과
It is not polite / in East Asian cultures / to make direct eye contact. / That is _____ /
[people from East Asian countries] / focus on the center of the face.

정중하지 않다 / 동아시아 문화에서는 / 직접적인 눈 마주침을 하는 것은 / 그것이 이유이다 / 동아시아 출신의 사람들이 / 얼굴의 중앙에 집중하는

해석 동아시아 문화에서 눈을 직접 보는 것은 무례하다. 그래서 동아시아 출신의 사람들은 얼굴의 중앙에 집중한다.

해설 That은 앞 문장(이유)을 가리킨다. 즉, 뒤에 나오는 절(얼굴 중앙을 봄)은 결과에 해당하므로 why가 적절하다.

05
        S   V   결과   이유
Successful people typically avoid / the trap of negative self-talk. / That is _____ /
they know / it will only create more stress.

성공한 사람들은 전형적으로 피한다 / 부정적인 자기 대화의 함정을 / 그것은 때문이다 / 그들이 알기 / 그것은 오직 더 많은 스트레스를 만들 것이라는 것을

해석 성공한 사람들은 보통 부정적인 자기 대화의 함정을 피한다. 그것은 그것이 더 많은 스트레스를 유발할 것이라는 것을 알기 때문이다.

해설 That은 앞 문장 내용(결과)을 가리킨다. 즉, 뒤에 나오는 절(스트레스의 요인임을 알고 있음)은 이유에 해당하므로
because가 적절하다.

Point (121-123) Review

p.23

[01 – 10] 다음 중 알맞은 것을 고르시오.

01   If / Whether you want to change the fruits, you will first have to change the roots.

02   As if / Even if it increases production in the short run, it will cause many problems in the long run.

03   I didn't attend the meeting. This is why / because I felt sick.

04   It is easy to feel as if / even if nothing can be done to save this planet, but it is not true.

05   If / Whether you can pass the test or not is another problem.

06   When she approached me, I continued to talk if / as if she weren't even there.

07   Licensing protects music from being stolen and preserves both new and older music, and this is why / because music licensing exists.

08   Be sure to wear protective equipment such as a helmet as if / even if your friends point and laugh.

09   The question of if / whether innovation really can be achieved is old-fashioned.

10   Tolerance allows the world to flourish. That is why / because treating other people with respect is very important.

Chapter 13 Review

p.24

[01~10] 다음 중 알맞은 것을 고르시오.

01 She does not want to give anyone the impression that / which certain people have an advantage.

02 He wanted to go around here and there, but he couldn't do so because / because of the traffic and the high prices.

03 Sometimes so much blood was lost that / what patients would grow weak and die.

04 Jack looked as if / even if he had known the answer, but he didn't.

05 Although / Despite the statistics that most people are living longer thanks to advances in medicine, the figures can be confusing.

06 Picking your souvenirs directly from nature is a bad idea. That is why / because seashells are more beautiful on the beach than on your desk.

07 Pompeii was destroyed and buried during / while a long eruption of the volcano Mount Vesuvius in 79 AD.

08 If / Whether you have never been to a game before, then the whole thing is probably a complex mess.

09 We are so focused on keeping score which / that we do not notice the endless opportunities in front of our noses.

10 As if / Even if you often lose your keys, or cannot find important papers, your memory stores more information than all the libraries in the world.

Chapter

14

가정법

Subjunctives

어휘를 알면 **구문이 보인다!**

체크! Words & Phrases

POINT 124

☐ flat	평평한
☐ route	경로
☐ head	향하다
☐ straight	곧바로
☐ resolve	해결하다
☐ matter	일, 문제
☐ planet	행성
☐ perhaps	아마도
☐ dental	치아의
☐ prevent	방지하다
☐ chew	씹다
☐ encourage	권장하다

POINT 125

☐ discuss	논의하다
☐ instead	대신에
☐ frustrated	좌절한
☐ set a record	기록을 세우다
☐ enclose	동봉하다
☐ respond	응답하다

POINT 126

☐ in trouble	곤란한
☐ save	구하다
☐ accident	사고
☐ confess	고백하다
☐ failure	실패
☐ guilty	죄책감의, 유죄의
☐ cope with	~을 해결[처리]하다

★ 모르는 단어에 체크하고, 소리 내어 10번만 뜻과 함께 말해 보세요.

[01 – 20] 다음 빈칸에 알맞은 우리말 뜻이나 단어를 쓰시오.

01 matter _____

02 planet _____

03 instead _____

04 guilty _____

05 set a record _____

06 flat _____

07 route _____

08 enclose _____

09 dental _____

10 prevent _____

11 곧바로 _____

12 고백하다 _____

13 실패 _____

14 사고 _____

15 해결하다 _____

16 응답하다 _____

17 향하다 _____

18 좌절한 _____

19 논의하다 _____

20 촉진하다 _____

가정법 과거

실제로 지구는 평평하지 않다 → 현재와 반대되는 상황 가정   will be (X), would have be (X)

If the Earth **were** flat, / the shortest route from New York to Madrid **would be** / to head straight east.

지구가 평평하다면 / 뉴욕에서 마드리드로 가는 가장 짧은 경로는 / 곧장 동쪽을 향하는 것일 것이다

⋯→ 만약 지구가 평면이라면, 뉴욕에서 마드리드로 가는 가장 짧은 경로는 곧장 동쪽을 향하는 것일 것이다.

> **Grammar Point**
>
> ※ 현재 사실의 반대를 가정할 경우 가정법 과거를 사용한다.
>
> **If + S + 과거 ~, S + would/could/might + 동사원형**

Words & Phrases

flat
평평한

route
경로

head
향하다

straight
곧바로

resolve
해결하다

matter
일, 문제

planet
행성

perhaps
아마도

dental
치아의

prevent
방지하다

chew
씹다

encourage
권장하다

 다음 중 알맞은 것을 고르시오.

01 If I am / were rich, I could have a nice house with a green yard.

02 I would be / have been grateful if you could resolve this matter quickly.

03 If we live / lived on a planet where nothing ever changed, there would be little to do.

04 Perhaps many dental problems would be / had been prevented if more chewing were encouraged for children.

05 If we never knew that there were better ways of doing things, then we wouldn't feel / have felt such a need for them.

[01 – 05] 빈칸에 알맞은 말을 넣으시오.

01
┌─ 가정법 과거 → 조동사의 과거형+동사원형 ─┐
If I _____ rich, / I could have a nice house / with a green yard.
내가 부자라면 / 나는 멋진 집을 가질 수 있을 텐데 / 초록 마당을 갖춘

해석 내가 부자라면, 초록 마당이 있는 멋진 집을 가질 수 있을 텐데.

해설 현재와는 반대의 사실을 가정하고 있으므로 가정법 과거를 사용하여 과거 동사 were가 적절하다.

02
┌─ 조동사의 과거형+동사원형 → 가정법 과거 ─┐
I would _____ grateful / if you could resolve this matter quickly.
나는 고마워할 텐데 / 당신이 만약 이 문제를 빠르게 해결할 수 있다면

해석 당신이 만약 이 문제를 빠르게 해결할 수 있다면, 나는 고마워할 텐데.

해설 현재와는 반대의 사실을 가정하는 가정법 과거구문이다. if절의 시제가 과거이므로 주절의 시제는 [조동사의 과거형+동사원형]을 사용한다. 따라서 be가 적절하다.

03
┌────── 가정법 과거 → 조동사의 과거형+동사원형 ──────┐
If we _____ on a planet / where nothing ever changed, / there would be little to do.
우리가 행성에 산다면 / 어떠한 것도 바뀌지 않는 / 할 것이 얼마 없을 텐데

해석 우리가 어떠한 것도 변하지 않는 행성에 산다면, 할 것이 얼마 없을 텐데.

해설 현재와는 반대의 사실을 가정하고 있으므로 가정법 과거를 사용하여 과거 동사 lived가 적절하다.

04
┌────── 조동사의 과거형+동사원형 → 가정법 과거 ──────┐
Perhaps many dental problems / would _____ prevented / if more chewing were encouraged / for children.
아마도 많은 치아문제는 / 방지될 텐데 / 만약 더 많은 씹기가 권장된다면 / 아이들에게

해석 더 많은 씹기가 아이들에게 권장된다면, 아마도 많은 치아문제가 방지될 텐데.

해설 현재와는 반대의 사실을 가정하는 가정법 과거구문이다. if절의 시제가 과거이므로 주절의 시제는 [조동사의 과거형+동사원형]을 사용한다. 따라서 be가 적절하다.

05
┌────── 가정법 과거 → 조동사의 과거형+동사원형 ──────┐
If we never knew / that there were better ways / of doing things, / then we wouldn't _____ such a need / for them.
우리가 모른다면 / 더 나은 방법이 있음을 / 무언가를 하는 / 그러면 우린 그런 필요성을 느끼지 않을 텐데 / 그것들에 대한

해석 만약 우리가 일을 하는 더 나은 방법이 있다는 것을 몰랐다면 그것들에 대한 필요성을 느끼지 않을 텐데.

해설 현재와는 반대의 사실을 가정하는 가정법 과거구문이다. if절의 시제가 과거이므로 주절의 시제는 [조동사의 과거형+동사원형]을 사용한다. 따라서 feel이 적절하다.

POINT 125 가정법 과거완료

> if절 안의 사건이 과거 사건에 대한 가정 → 과거완료로 표현

If the parents **had gone** to the meeting, / they **could**

> 주절의 사건 역시 과거사건이므로 <조동사+have p.p.> 로 표현함.

have discussed the problems / with the teachers.

부모님들이 회의에 갔었더라면 / 그들은 그 문제를 의논할 수도 있었을 텐데 / 교사들과
⋯ 부모님들이 회의에 갔었더라면, 그들은 교사들과 그 문제들에 대해서 의논할 수도 있었을 텐데.

Grammar Point

※ 과거 사실의 반대를 가정할 경우, 가정법 과거완료를 사용한다.

If + S + had p.p. ~, S + would / could / might + have p.p.

다음 중 알맞은 것을 고르시오.

01 If you [did not buy / had not bought] an album then, you could have bought the book instead.

Words & Phrases

discuss
논의하다

instead
대신에

allow
허용하다

frustrated
좌절한

set a record
기록을 세우다

enclose
동봉하다

respond
응답하다

02 If the baseball player [allowed / had allowed] himself to become frustrated by his outs, he would have never set any records.

03 If you [have studied / had studied] harder, you could have passed the exam.

04 If the check [were / had been] enclosed, would they have responded so quickly?

05 If it had not been for his help, we would not [finish / have finished] the project then.

끊어 읽으면 답이 보인다!

POINT **125**

[01 – 05] 빈칸에 알맞은 말을 넣으시오.

01

───── 가정법 과거완료 → 조동사의 과거형+have p.p. ─────

If you ＿＿＿＿＿＿＿ an album then, / you could have bought the book / instead.

만약 당신이 그때 앨범을 사지 않았었더라면 / 당신은 아마도 그 책을 샀을지도 모른다 / 대신에

해석 당신이 만약 그때 앨범을 사지 않았었더라면, 대신 그 책을 샀을 텐데.

해설 주절의 시제가 [조동사의 과거형+have p.p.]이므로 과거의 사건을 의미한다. 따라서 if절 안의 시제는 과거 사건에 대한 가정인 과거완료가 와야 하므로 had not bought가 적절하다.

02

───── 가정법 과거완료 → 조동사의 과거형+have p.p. ─────

If the baseball player ＿＿＿＿＿＿＿ / himself / to become frustrated / by his outs, / he would have never set any records. 그 야구선수가 만약 허용했었더라면 / 자기 스스로가 / 좌절하도록 / 그의 아웃에 의해서 / 그는 아마도 어떤 기록도 세우지 못했을 것이다

해석 그 야구선수가 만약 그의 아웃에 실망했었더라면, 그는 아마도 어떠한 기록도 세우지 못했을 텐데.

해설 주절의 시제가 [조동사의 과거형+have p.p.]이므로 과거의 사건을 의미한다. 따라서 if절 안의 시제는 과거 사건에 대한 가정인 과거완료가 와야 하므로 had allowed가 적절하다.

03

───── 가정법 과거완료 → 조동사의 과거형+have p.p. ─────

If you ＿＿＿＿＿＿＿ harder, / you could have passed the exam.

당신이 만약 더 열심히 공부했었더라면 / 당신은 그 시험을 통과했을 텐데

해석 당신이 만약 더 열심히 공부했었더라면, 그 시험을 통과했었을 텐데.

해설 주절의 시제가 [조동사의 과거형+have p.p.]이므로 과거의 사건을 의미한다. 따라서 if절 안의 시제는 과거 사건에 대한 가정인 과거완료가 와야 하므로 had studied가 적절하다.

04

───── 가정법 과거완료 → 조동사의 과거형+have p.p. ─────

If the check ＿＿＿＿＿＿＿ enclosed, / would they have responded so quickly?

만약 수표가 동봉되었었더라면 / 그들이 그렇게 빠르게 반응을 보였을까?

해석 만약 수표가 동봉되었었더라면, 그들이 그렇게 빨리 반응을 보였을까?

해설 주절의 시제가 [조동사의 과거형+have p.p.]이므로 과거의 사건을 의미한다. 따라서 if절 안의 시제는 과거 사건에 대한 가정인 과거완료가 와야 하므로 had been이 적절하다.

05

───── 가정법 과거완료 → 조동사의 과거형+have p.p. ─────

If it had not been for his help, / we would not ＿＿＿＿＿＿＿ the project then.

만약 그의 도움이 없었더라면 / 우리는 그 프로젝트를 그때 끝내지 못했을 텐데.

해석 그의 도움이 없었더라면 우리는 그 프로젝트를 그때 끝내지 못했을 텐데.

해설 if절 안의 시제가 과거 사건에 대한 가정을 의미하는 과거완료가 온다. 주절의 내용도 과거에 대한 가정이므로 [조동사의 과거형+have p.p.]가 적절하다. 따라서 have finished가 적절하다.

POINT
126

혼합 가정법

if절의 시제가 과거완료지만, 주절에 'now'가 있어 현재의 가정이므로 [조동사의 과거형+동사원형]이 온다.

If you **had not saved** her son then, / we could not

현재 상황임을 알려준다

see him **now**.

당신이 만약 그때 그녀의 아들을 구하지 못했었더라면 / 우리는 그를 지금 볼 수 없을 것이다

···› 당신이 만약 그때 그녀의 아들을 구하지 못했더라면, 지금 우리는 그를 볼 수 없을 텐데.

Grammar Point

❶ 조건절은 과거의 가정인 가정법 과거완료를 쓰더라도, 주절의 내용이 현재의 가정이라면
[조동사의 과거형+have p.p.]가 아닌 [조동사의 과거형+동사원형]이 와야 한다.

❷ 주절에 now, today 등이 올 경우에 해당된다.

If + S + had p.p. ~. S + would / could / might + 동사원형

과거 사건   현재 상황

🔍 다음 중 알맞은 것을 고르시오.

01 If I had not had a full lunch, this steak would [be / have been] much
   better now.

Words & Phrases

in trouble
곤란한

save
구하다

accident
사고

confess
고백하다

failure
실패

guilty
죄책감의, 유죄의

cope with
~을 해결[처리]하다

---

02 If Sammy had done what I told him, he wouldn't [lie / have lain] in this
   trouble.

03 If they had not saved us in that accident, we could not [meet / have met]
   our family now.

04 If she had not confessed her failure to her parents, she would still
   [have felt / feel] guilty.

05 If Tom had followed your advice, he would [be / have been] able to
   cope with the problem now.

[01 – 05] 빈칸에 알맞은 말을 넣으시오.

01

┌─ 과거 사건에 대한 가정이나, 그 결과는 현재임 → 조동사의 과거형+동사원형

If I had not had a full lunch, / this steak would _____ much better now.

내가 점심을 배불리 먹지만 않았어도 / 이 스테이크는 지금 훨씬 더 맛있을 텐데.

해석 내가 배가 부르지만 않았어도 이 스테이크는 지금 훨씬 더 맛있을 텐데.

해설 If절 안의 사건이 과거 사건이라 과거완료가 나오지만, 그 결과에 해당하는 주절의 사건은 now로 인해서 현재 사건이므로 [조동사의 과거형+동사원형]을 사용한다. 따라서 be가 적절하다.

02

┌─ 과거 사건에 대한 가정이나, 그 결과는 현재임 → 조동사의 과거형+동사원형   ┌─ this trouble은 현재의 문제임

If Sammy had done / what I told him, / he wouldn't _____ in this trouble.

새미가 만약 했더라면 / 내가 그에게 말했던 것을 / 그는 놓여있지 않을 텐데 / 이 문제에

해석 새미가 만약 내가 그에게 말했던 것을 했더라면, 그는 이 문제에 놓여 있지 않을 텐데.

해설 If절 안의 사건이 과거 사건이라 과거완료가 나오지만, 그 결과에 해당하는 주절의 사건은 this trouble로 인해서 현재 사건이므로 [조동사의 과거형+동사원형]을 사용한다. 따라서 lie가 적절하다.

03

┌─ 과거 사건에 대한 가정이나, 그 결과는 현재임 → 조동사의 과거형+동사원형

If they had not saved us / in that accident, / we could not _____ our family now.

그들이 만약 우리를 구하지 않았더라면 / 그 사고에서 / 우리는 지금 가족을 만나지 못 할 것이다

해석 그들이 만약 사고에서 우리를 구하지 않았더라면, 우리는 지금 가족을 만나지 못 할 텐데.

해설 If절 안의 사건이 과거 사건이라 과거완료가 나오지만, 그 결과에 해당하는 주절의 사건은 now로 인해서 현재 사건이므로 [조동사의 과거형+동사원형]을 사용한다. 따라서 meet이 적절하다.

04

┌─ 과거 사건에 대한 가정이나, 그 결과는 현재임 → 조동사의 과거형+동사원형

If she had not confessed her failure / to her parents, / she would still _____ guilty.

그녀가 그녀의 실패를 고백하지 않았더라면 / 그녀의 부모님에게 / 그녀는 여전히 죄책감을 느낄 것이다

해석 그녀가 부모님에게 그녀의 실패를 고백하지 않았더라면, 그녀는 여전히 죄책감을 느낄 텐데.

해설 If절 안의 사건이 과거 사건이라 과거완료가 나오지만, 그 결과에 해당하는 주절의 사건이 still로 인해서 현재 사건이므로 [조동사의 과거형+동사원형]을 사용한다. 따라서 feel이 적절하다.

05

┌─ 과거 사건에 대한 가정이나, 그 결과는 현재임 → 조동사의 과거형+동사원형

If Tom had followed your advice, / he would _____ able to cope with the problem now.

톰이 너의 조언을 따랐더라면 / 그는 그 문제를 지금 해결할 수 있을 텐데

해석 톰이 너의 조언을 따랐더라면, 그는 지금 그 문제를 해결할 수 있을 텐데.

해설 If절 안의 사건이 과거 사건이라 과거완료가 나오지만, 그 결과에 해당하는 주절의 사건이 now로 인해서 현재사건이므로 [조동사의 과거형+동사원형]을 사용한다. 따라서 be가 적절하다.

Point (124~126) Review

p.25

[01 – 10] 다음 중 알맞은 것을 고르시오.

01 If she has / had some money, she would lend it to you.

02 If he attended / had attended the party, he could have seen her there.

03 If she has / had a beautiful dress like mine, she would not cry.

04 If I had taken your advice then, I would have been / be a doctor now.

05 If Cleopatra's nose were / had been a little shorter, the history of the world might have changed.

06 If your mother knows / knew about your cheating, she would severely scold you.

07 If we found / had found enough evidence, we could have arrested him then.

08 If he did not disrupt / had not disrupted their sleeping, the workshop would have ended without any noteworthy changes.

09 If they doubled the number of their franchises from thirteen to twenty-six, they could make / had made one hundred and twenty-eight dollars in one day.

10 If we decreased meat consumption worldwide, the global warming potential of the food system would be / would have been significantly reduced.

어휘를 알면 **구문이 보인다!**

POINT 127

☐ survive	살아남다
☐ information	정보
☐ apply for	지원하다
☐ process	과정
☐ proposal	제안
☐ in time	제시간 안에
☐ president	사장
☐ pretend	~인 척하다
☐ successful	성공적인

POINT 128

☐ study abroad	해외에서 공부하다
☐ living expense	생활비
☐ mid-term paper	중간고사 리포트
☐ melt	녹이다
☐ stick	막대기
☐ attack	공격하다
☐ refund	환불하다

POINT 129

☐ gravity	중력
☐ atmosphere	대기, 분위기
☐ ocean	대양, 바다
☐ traffic jam	교통체증
☐ go bankrupt	파산하다
☐ electricity	전기
☐ facility	시설
☐ laziness	게으름
☐ take A for B	A를 B로 간주하다

★ 모르는 단어에 체크하고, 소리 내어 10번만 뜻과 함께 말해 보세요.

[01 – 20] 다음 빈칸에 알맞은 우리말 뜻이나 단어를 쓰시오.

01 gravity _____

02 atmosphere _____

03 traffic jam _____

04 study abroad _____

05 president _____

06 proposal _____

07 melt _____

08 take A for B _____

09 electricity _____

10 facility _____

11 생활비 _____

12 성공적인 _____

13 게으름 _____

14 정보 _____

15 지원하다 _____

16 환불하다 _____

17 공격하다 _____

18 제시간 안에 _____

19 ~인 척하다 _____

20 살아남다 _____

if의 생략

if가 생략되고, 도치된 가정법 도치구문이다.

Had I had enough time / to study, / I could have
= If I had had enough time ~

gotten better scores / in the last exam.

만약 내가 충분한 시간이 있었다면 / 공부할 / 나는 더 나은 점수를 받았을 것이다 / 지난 시험에서
⋯→ 만약 내가 공부할 충분한 시간이 있었더라면, 지난 시험에서 더 나은 점수를 얻을 수 있었을 텐데.

Grammar Point

❶ had, should, were가 문두로 나와 주어와 도치된 경우, if의 생략 구문으로 볼 수 있다.
❷ 의문문과 혼동하지 않도록 주의한다.

if가 생략→ 가정법 도치구문

Had
Were ⎠ + S ~, S´ + would/could/might + ~

Should + S~, S´ + will / can / may + ~

🔍 다음 문장의 밑줄 친 부분을 해석하시오.

Words & Phrases

survive
살아남다

information
정보

apply for
지원하다

process
과정

decline
거절하다

proposal
제안

document
자료

in time
제시간 안에

president
사장

pretend
~인 척하다

successful
성공적인

01 Were it not for water, no living thing could survive.

02 Should you need any information about the accident, let me know first.

03 Had you applied for the new process, you could have gotten another chance.

04 We will decline your proposal, should the document fail to arrive in time.

05 Were you to agree, Jackson could be the next president and lead the company.

06 Had you pretended to know more than you do, you would have been less successful.

[01 – 06] 빈칸에 알맞은 말을 넣으시오.

01 ⌐ = If it were not for water

_____ it not for water, / no living thing could survive.

만약 물이 없다면 / 어떠한 살아있는 생명체도 살아남을 수 없을 것이다

[해석] 만약 물이 없다면 어떠한 살아있는 생명체도 살아남을 수 없을 것이다.

[해설] if가 생략되고 were가 문장의 앞으로 도치된 구문이다. 따라서 Were가 정답이다. were가 문두로 나가고 주절에 조동사가 보이면 if의 생략구문이라고 봐야 한다.

02 ⌐ = If you should need

_____ you need any information about the accident, / let me know first.

당신이 사건의 정보가 필요하다면 / 내가 먼저 알게 해주세요.

[해석] 당신이 사건의 정보가 필요하다면 내게 먼저 알려주세요.

[해설] if가 생략되고 should가 문장의 앞으로 도치된 구문이다. 따라서 Should가 정답이다. should가 문두로 나가고 주절에 조동사가 보이면 if가 생략된 구문이라고 봐야 한다.

03 ⌐ = If you had applied

_____ you applied for the new process, / you could have gotten another chance.

만약 당신이 새로운 과정에 지원했었다면 / 당신은 또 다른 기회를 잡았을 텐데

[해석] 만약 당신이 새로운 과정에 지원했었다면 당신은 또 다른 기회를 잡았을 텐데.

[해설] if가 생략되고 had가 문장의 앞으로 도치된 구문이다. 따라서 Had가 정답이다.

04 ⌐ = if the document should fail

We will decline your proposal, / _____ the document fail / to arrive in time.

우리는 당신의 제안을 거절할 것이다 / 만약 그 서류가 실패한다면 / 제때에 도착하는 것에

[해석] 만약 그 서류가 제때에 도착하지 않는다면, 우리는 당신의 제안을 거절할 것입니다.

[해설] if가 생략되고 should가 문장의 앞으로 도치된 구문이다. 따라서 should가 정답이다.

05 ⌐ = If you were to agree

_____ you to agree, / Jackson could be the next president / and lead the company.

만약 당신이 동의한다면 / 잭슨은 다음 사장이 될 수 있고 / 그리고 회사를 이끌 수 있을 텐데

[해석] 만약 당신이 동의한다면, 잭슨이 다음 사장이 되어 회사를 이끌 수 있을 텐데.

[해설] if가 생략되고 were가 문장의 앞으로 도치된 구문이다. 따라서 Were가 정답이다.

06 ⌐ = If you had pretended ~

_____ you pretended to know / more than you do, / you would have been less successful. 만약 당신이 아는 척했더라면 / 당신이 아는 것보다 더 많이 / 당신은 덜 성공했을 수도 있다

[해석] 만약 당신이 아는 것보다 더 많이 아는 척했더라면, 당신은 덜 성공했을 텐데.

[해설] if가 생략되고 had가 문장의 앞으로 도치된 구문이다. 따라서 Had가 정답이다.

POINT 128 if를 대신하는 것들

> '~을 가정한다면', supposing을 써도 됨.

Supposing that you study abroad, / how would you manage / your living expenses?

네가 외국에서 공부한다고 가정한다면 / 어떻게 너는 운영할 거니 / 너의 생활비는

··· 네가 외국에서 공부한다고 가정한다면, 어떻게 생활비를 마련할 거니?

Grammar Point

※ 다음 표현은 if를 대신하는 표현들이다.

as long as ~하는 한
supposing/suppose 가정하자면
unless ~하지 않는다면

in case ~인 경우를 대비해서
providing/provided ~한다면

Words & Phrases

study abroad
해외에서 공부하다

living expense
생활비

complete
완료하다

mid-term paper
중간고사 리포트

temperature
온도

melt
녹이다

stick
막대기

attack
공격하다

refund
환불하다

delighted
즐거운

purchase
구매

다음 문장의 밑줄 친 부분을 해석하시오.

01   As long as it's cheap, we'll buy your product.

02   You can't go home unless you complete your project by tomorrow.

03   Provided I get an A on this mid-term paper, I will dance in the street!

04   Supposing that the temperature is high enough, it can easily melt the iron.

05   You should take this stick in case the dog attacks you.

06   We will refund your money, provided you are not delighted with your purchase.

[01 – 06] **빈칸에 알맞은 말을 넣으시오.**

01

┌ ~하다면, ~하는 한

_____ it's cheap, / we'll buy your product.

그것이 가격이 저렴하다면 / 우리는 당신의 제품을 구매할 것이다

해석 가격이 저렴하다면, 우리는 당신의 제품을 구매할 것이다.

해설 문맥상 '~하다면, ~하는 한'을 의미하는 As long as가 적절하다.

02

┌ ~하지 않는다면

You can't go home / _____ you complete your project / by tomorrow.

당신이 집에 갈 수 없다 / 만약 당신이 프로젝트를 끝내지 않는다면 / 내일까지

해석 당신이 내일까지 프로젝트를 끝내지 않는다면, 당신은 집에 갈 수 없다.

해설 문맥상 '~하지 않는다면'을 의미하는 unless가 적절하다.

03

┌ ~하다면

_____ I get an A / on this mid-term paper, / I will dance in the street!

내가 A를 받는다면 / 중간고사 리포트에서 / 나는 길에서 춤을 출 것이다

해석 내가 중간고사 리포트에서 A를 받는다면 나는 길에서 춤을 출 것이다.

해설 문맥상 '~한다면'을 의미하는 Provided가 적절하다.

04

┌ ~ 가정하자면

_____ that the temperature is high enough, / it can easily melt the iron.

온도가 충분히 높은 경우라면 / 그것은 쉽게 철을 녹일 수 있다

해석 온도가 충분히 높은 경우라면, 그것은 쉽게 철을 녹일 수 있다.

해설 문맥상 '~하다면, ~을 가정하자면'을 의미하는 Supposing이 적절하다.

05

┌ 만약 ~인 경우에

You should take this stick / _____ the dog attacks you.

당신은 이 막대기를 가지고 가는 것이 좋겠다 / 개가 당신을 공격할지도 모르니

해석 개가 당신을 공격할 지도 모르니 이 막대기를 가지고 가는 것이 좋겠다.

해설 문맥상 '~인 경우, ~을 대비해서'를 의미하는 in case가 적절하다.

06

┌ ~ 한다면

We will refund your money, / _____ you are not delighted / with your purchase. 우리는 당신의 돈을 환불해 줄 것이다 / 만약 당신이 기쁘지 않으면 / 당신의 구매에

해석 당신의 구매에 기쁘지 않다면, 우리는 환불해 줄 것이다.

해설 문맥상 '~한다면'을 의미하는 provided가 적절하다.

129 숨어 있는 가정법

'중력이 없다면' = But for gravity = If it were not for gravity

S

Without gravity, / [the atmosphere, the ocean, and

V → without 때문에 가정의 결과가 나온다

everything else on the earth] / **would fly into space**.

중력이 없다면 / 대기, 대양, 지구상의 모든 것들은 / 우주로 날아가 버릴 텐데

⋯ 중력이 없다면 대기와 대양, 그리고 지구상의 모든 것들이 우주로 날아가 버릴 텐데.

Grammar Point

❶ 'If it were not for(~가 없다면)'와 'If it had not been for(~가 없었다면)'는
But for 또는 Without으로 대체 가능하다.
If it were not for air (= Without air = But for air), we could not live.
공기가 없다면 우리는 살 수 없을 텐데.

❷ with ~이 있다면, ~이라면

❸ to부정사 ~, S+조동사+~: to부정사가 if의 역할을 하기도 한다.

❹ otherwise 그렇지 않다면 (앞에 언급된 사실이 아니라면 = if ~ not)

Words & Phrases

gravity
중력

atmosphere
대기, 분위기

ocean
대양, 바다

traffic jam
교통체증

go bankrupt
파산하다

electricity
전기

facility
시설

laziness
게으름

take A for B
A를 B로 간주하다

 다음 문장의 밑줄 친 부분을 해석하시오.

01　But for the traffic jam, we wouldn't have been late.

02　Without the accident, we would have arrived in time.

03　Shawn gave me some money. Otherwise, I would have gone bankrupt.

04　Without electricity, we could be in trouble because all facilities must
　　stop.

05　To hear him speak Korean, you would take him for Korean.

[01 – 05] 빈칸에 알맞은 말을 넣으시오.

01
┌─ ∼이 없었더라면 = If it had not been for the traffic jam = Without the traffic jam
_____ the traffic jam, / we wouldn't have been late.
교통체증이 아니었더라면 / 우리는 늦지 않았을 텐데

해석 교통체증이 아니었더라면, 우리는 늦지 않았을 텐데.
해설 If it had not been for (∼이 없었더라면) = But for = Without

02
┌─ ∼이 없었다면 = If it had not been for the accident = But for the accident
_____ the accident, / we would have arrived / in time.
사고가 없었다면 / 우리는 도착했었을 수도 있을 텐데 / 제때에

해석 사고가 없었다면, 우리는 제때에 도착했었을 수도 있었을 텐데.
해설 If it had not been for (∼이 없었더라면) = But for = Without

03
┌─ 그렇지 않았다면
Shawn gave me some money. / _____, / I would have gone bankrupt.
숀은 나에게 약간의 돈을 주었다 / 그렇지 않았다면 / 나는 파산했었을 수도 있다

해석 숀은 나에게 약간의 돈을 주었다. 그렇지 않았다면 나는 파산했었을 수도 있다.
해설 otherwise는 '그렇지 않다면(if ∼ not)'을 의미한다. 즉 앞의 나오는 내용을 부정하는 가정문이라고 보면 된다.

04
┌─ ∼이 없다면 = If it were not for electricity = But for electricity
_____ electricity, we could be in trouble because all facilities must stop.
전기가 없다면 / 우리는 곤란할 수 있을 텐데 / 왜냐하면 모든 시설은 멈춰야 하니까

해석 전기가 없다면, 모든 시설이 멈춰야 하기에 우리는 곤란함을 겪을 수 있을 텐데.
해설 If it were not for (∼이 없다면) = But for = Without

05
┌─ to부정사 ∼. S+could/would(조동사)
_____ him speak Korean, / you would take him for Korean.
그가 한국어를 말하는 것을 듣는다면 / 당신은 그를 한국인으로 간주할 수도 있을 텐데

해석 그가 한국어를 말하는 것을 듣는다면 당신은 그를 한국인으로 간주할 수도 있을 텐데.
해설 to부정사는 조건의 의미를 가지는 경우도 있다. 따라서 빈칸에는 To hear가 적절하다.

Point (127~129) Review

[01~10] 다음 중 알맞은 것을 고르시오.

01 He should / Should he come to see you, he will stay with you.

02 Accept / To accept this proposal, you would make a mistake and regret it.

03 With / Without computers, we would not be able to finish our work.

04 Had he / He had not been there, he could have avoided the accident.

05 Provide / Provided your price is right, we'll buy everything you produce.

06 Were I / I were in your position, I would not do the work like that.

07 The sculptures were / Were the sculptures genuine, I could buy all of them.

08 I feel better, otherwise / likewise I would have to go and see a doctor.

09 Please contact me you should / should you need any further information.

10 I had / Had I not met Jack, I might never have developed my love of literature and writing.

어휘를 알면 **구문이 보인다!**

체크! Words & Phrases

POINT 130

☐ quit	그만두다
☐ will power	의지력
☐ inform	알리다
☐ vote	투표하다
☐ situation	상황
☐ in one's favor	~에게 유리하게

POINT 131

☐ truth	진실
☐ worship	숭배하다
☐ actually	사실, 실제로
☐ exceptional	특출한
☐ being	존재
☐ possess	소유하다
☐ godlike	신과 같은
☐ quality	우수함, 품질
☐ end up	결국 ~이 되다
☐ appear	~인 것 같다
☐ foolish	어리석은

POINT 132

☐ behind schedule	예정보다 늦은
☐ hurry up	서두르다
☐ have a haircut	이발을 하다
☐ surprising	놀라운
☐ contract	계약
☐ corporation	기업
☐ university	대학
☐ final exam	기말고사

★ 모르는 단어에 체크하고, 소리 내어 10번만 뜻과 함께 말해 보세요.

[01 – 20] 다음 빈칸에 알맞은 우리말 뜻이나 단어를 쓰시오.

01 will power _____

02 inform _____

03 exceptional _____

04 possess _____

05 in one's favor _____

06 being _____

07 vote _____

08 have a haircut _____

09 contract _____

10 corporation _____

11 사실, 실제로 _____

12 숭배하다 _____

13 그만두다 _____

14 진실 _____

15 ~인 것 같다 _____

16 대학 _____

17 우수함, 품질 _____

18 결국 ~이 되다 _____

19 예정보다 늦은 _____

20 기말고사 _____

wish 가정법

> wish 다음에는 과거 / 과거완료만이 올 수 있다.

I really **wish** / I **had not quit** school / last year.

> don't quit (X)

나는 정말로 소망한다 / 내가 학교를 그만두지 않았기를 / 작년에

⋯ 내가 작년에 학교를 그만두지 않았더라면 정말 좋았을 텐데.

Grammar Point

❶ 'wish + 가정법'은 이루어질 가능성이 없는 소망을 표현한다.

❷ wish 다음에는 과거/과거완료만이 올 수 있다. wish + -ed/had p.p

　 wish + 가정법 과거: 현재 이룰 수 없는 소망

　 wish + 가정법 과거완료.: 과거에 이룰 수 없었던 소망

다음 중 알맞은 것을 고르시오.

01　I wish that I [met / had met] you when I was young.

02　Jackson wishes he [had / have] enough will power to stop smoking.

03　We sometimes wish that we [are / were] never informed about something.

04　He wishes that he [used / had used] plan B at that time, not plan A.

05　We wish that you [will / would] understand our situation and vote in our favor.

06　I began to golf when I was fifty. I wish I [were / had been] able to begin earlier.

Words & Phrases

quit
그만두다

will power
의지력

inform
알리다

situation
상황

vote
투표하다

in one's favor
~에게 유리하게

golf
골프를 치다

[01 - 06] 빈칸에 알맞은 말을 넣으시오.

01

┌─현재─┐ ┌─과거사건─┐
I wish / that I _____ you / when I was young.

나는 바란다 / 내가 너를 만났었기를 / 내가 어렸을 때

해석 내가 어렸을 때, 너를 만났으면 좋을 텐데.

해설 wish의 시점보다 that 이하의 사건이 이전에 발생했기에(when I was young으로 과거임) 과거완료 had met가 적절하다.

02

┌─동일 시점─┐ → wish+가정법 과거
Jackson wishes / he _____ enough will power / to stop smoking.

잭슨은 바란다 / 그가 충분한 의지력을 갖기를 / 금연할 수 있는

해석 잭슨은 금연할 수 있는 충분한 의지력을 갖기를 바란다.

해설 내용상 현재 이룰 수 없는 소망을 나타내고 있으므로 과거 동사 had가 적절하다.

03

┌─동일 시점─┐ → wish+가정법 과거
We sometimes wish / that we _____ never informed / about something.

우리는 가끔씩 바란다 / 우리가 알지 않기를 / 무언가에 대해서

해석 우리는 때때로 우리가 어떤 것에 대해서 알지 못하기를 바란다.

해설 내용상 현재 이룰 수 없는 소망을 나타내므로 과거 동사 were가 적절하다.

04

┌─현재─┐ ┌─과거사건─┐
He wishes / that he _____ plan B / at that time, / not plan A.

그는 바란다 / 그가 제 2안을 사용했기를 / 그때 / 제 1안이 아닌

해석 그는 그때 제 1안이 아닌 제 2안을 사용했기를 바란다.

해설 wish의 시점보다 계획을 사용하는 시점이 앞서므로(at that time으로 과거사건임을 알 수 있음) 과거완료 had used가 적절하다. [wish+가정법 과거완료]는 과거에 이룰 수 없었던 소망을 나타낸다.

05

┌─동일 시점─┐ → wish+가정법 과거
We wish / that you _____ understand our situation / and vote in our favor.

우리는 바란다 / 당신이 우리의 상황을 이해하고 / 우리에게 유리하게 투표하기를

해석 우리는 당신이 우리 상황을 이해하고, 우리에게 유리하게 투표하기를 바란다.

해설 내용상 현재의 (이룰 수 없는) 소망을 나타내므로 과거 동사 would가 적절하다.

06

┌─현재─┐ ┌─과거 사건─┐
I began to golf / when I was fifty. / I wish / I _____ able to begin earlier.

나는 골프를 시작했다 / 내가 50세였을 때 / 나는 바란다 / 내가 더 일찍 시작할 수 있었기를

해석 나는 50세 때 골프를 시작했다. 내가 좀 더 일찍 시작할 수 있었으면 좋을 텐데.

해설 wish의 시점보다 골프를 시작하는 사건이 앞서므로(earlier로 알 수 있음) 과거완료 had been이 적절하다.

as if 가정법

She did not turn / and she walked through the street

⟶ as if +과거완료: (사실이 아닌데) 마치 ~인 것처럼

/ as if she **had seen** nothing.

그녀는 돌아서지 않았다 / 그리고 그녀는 길을 걸어갔다 / 마치 그녀가 아무것도 보지 못했던 것처럼

···· 그녀는 마치 아무것도 보지 못했던 것처럼 돌아서지 않았고, 길을 걸어갔다.

Grammar Point

❶ '마치 ~ 인 것처럼'을 의미한다.

❷ as if + 가정법 과거: 주절의 시제에서 반대 상황일 경우(그럴 가능성이 거의 없음)

❸ as if + 가정법 과거완료: 주절의 시제보다 앞선 시점에서 반대 상황일 경우

❹ even if vs. if vs. as if → Point 121 참조

Words & Phrases

truth
진실

worship
숭배하다

actually
사실, 실제로

exceptional
특출한

being
존재

possess
소유하다

godlike
신과 같은

quality
우수함, 품질

end up
결국 ~이 되다

appear
~인 것 같다

foolish
어리석은

 다음 중 알맞은 것을 고르시오.

01 Jamie acts as if she ⸢ knows / knew ⸥ the truth of the accident, but she doesn't.

02 He taught history to his students as if he ⸢ lived / had lived ⸥ in the Middle Ages.

03 You can actually become your own cheerleader by acting as if you ⸢ are / were ⸥ already the person that you wanted to be.

04 My parents worship medical doctors as if they ⸢ are / were ⸥ exceptional beings possessing godlike qualities.

05 People can actually end up appearing more foolish when they act as if they ⸢ have / had ⸥ knowledge that they do not.

[01 – 05] 빈칸에 알맞은 말을 넣으시오.

01

실제로 알 가능성이 거의 없음(모른다는 내용이 뒤따름)

Jamie acts / as if she _____ the truth of the accident, / but she doesn't.
제이미는 행동한다 / 마치 그녀가 그 사건의 진실을 아는 것처럼 / 그러나 그녀는 모른다

해석 제이미는 마치 그녀가 사건의 진실을 아는 것처럼 행동한다. 하지만 그렇지 않다.

해설 as if 다음에 사건의 발생 가능성이 거의 없는 경우, 사건 발생 시점에 따라 과거나 과거완료를 사용한다. 여기서는 실제로 모른다고 하고 있으므로 과거 동사인 knew가 적절하다.

02

가르치는 시점 〈 중세에 산 시점

He taught history / to his students / as if he _____ in the Middle Ages.
그는 역사를 가르쳤다 / 그의 학생들에게 / 마치 그가 중세에 살았던 것처럼

해석 그는 그가 마치 중세에 살았던 것처럼 학생들에게 역사를 가르쳤다.

해설 '역사를 가르치는 시점'보다 '중세에 살았던 시점'이 앞서므로 과거완료 had lived가 적절하다. 물론, 가능성이 없는 내용이기에 as if를 사용했다.

03

어렸을 때 되기를 원했던 사람이 지금은 아님(가능성이 매우 낮음)

You can actually become your own cheerleader / by acting / as if you _____ already the person / that you wanted to be.
여러분은 실제로 여러분 자신의 치어리더가 될 수 있다 / 행동함으로써 / 마치 여러분이 벌써 그 사람인 것처럼 / 여러분이 되기를 원했던

해석 여러분은 어렸을 때 되고 싶어 했던 사람이 벌써 된 것처럼 행동함으로써, 자신의 치어리더가 될 수 있다.

해설 어렸을 때 되기를 원했던 사람이 벌써 된 것은 아니다. 따라서 실제 가능성은 거의 없기에 과거 동사 were가 적절하다.

04

의사는 신과 같은 존재가 아니므로, 가능성 없음

My parents worship medical doctors / as if they _____ exceptional beings / possessing godlike qualities. 나의 부모님은 의사를 숭배한다 / 마치 그들이 특출한 존재인 것처럼 / 신과 같은 속성을 소유한

해석 나의 부모님은 의사들이 신과 같은 속성을 지닌 특출한 존재인 것처럼 그들을 숭배한다.

해설 의사들이 신과 같은 존재가 아니므로 가능성이 거의 없다. 따라서 과거 동사인 were가 적절하다.

05

실제로 지식을 가지고 있지 않음

People can actually end up / appearing more foolish / when they act / as if they _____ knowledge / that they do not.
사람들은 실제로 결국 될 수 있다 / 더 바보스럽게 보이도록 / 그들이 행동할 때 / 마치 그들이 지식을 지닌 것처럼 / 그들이 그렇지 못한

해석 사람들은 그들이 가지지 못한 지식을, 가진 것처럼 행동할 때 더 바보스럽게 보일 수 있다.

해설 가지고 있지 않은 지식을 가진 것처럼 행동하므로 과거 동사 had가 적절하다.

POINT 132

it is time + 가정법

〈it is time that〉 뒤에 오는 동사는 〈과거형〉만 가능하다

It is time that / we **started** a meeting / for the plan /
start (X)
because we're behind schedule.

시간이다 / 우리가 회의를 시작할 / 계획을 위해서 / 왜냐하면 우리는 이미 예정보다 늦었기 때문이다

⋯→ 이미 예정보다 늦었기 때문에 우리가 계획을 위한 회의를 할 시간이다.

Grammar Point

❶ 'It is (high) time that ~'은 '~할 시간이다'를 의미한다.

❷ that절 이후에 오는 동사의 시제는 과거만 가능하다.
It is time that S+과거(-ed)

❸ 'It is time to부정사'로도 사용가능하다.
It is time that you went to bed. = It is time for you to go to bed.

✅ 다음 중 알맞은 것을 고르시오.

01 It is time you go / went to school. Hurry up!

02 It is high time that my son have / had a haircut. His hair is too long.

03 It is time we make / made a surprising contract with the corporation.

04 It is time that we start / started studying hard in order to enter the university we want.

05 It is time entering / to enter the meeting room in order to discuss the problem.

06 He has final exams next week. It is about time that he stops / stopped playing video games.

Words & Phrases

behind schedule
예정보다 늦은

hurry up
서두르다

have a haircut
이발을 하다

surprising
놀라운

contract
계약

corporation
기업

university
대학

final exam
기말고사

[01 – 06] 빈칸에 알맞은 말을 넣으시오.

01
┌─ It is time+과거 동사 ─┐
It is time / you _____ to school. / Hurry up!
시간이다 / 네가 학교에 갈 / 서둘러

해석 네가 학교에 갈 시간이다. 서둘러라.

해설 [It is time+과거 동사]이므로 went가 적절하다.

02
┌────── It is (high) time+과거 동사 ──────┐
It is high time / that my son _____ a haircut. / His hair is too long.
시간이다 / 나의 아들이 머리카락을 자를 / 그의 머리가 너무 길다

해석 나의 아들이 머리카락을 자를 시간이다. 그의 머리가 너무 길다.

해설 [It is (high) time+과거 동사]이므로 had가 적절하다.

03
┌─ It is time+과거 동사 ─┐
It is time / we _____ a surprising contract / with the corporation.
시간이다 / 우리가 놀라운 계약을 할 / 그 기업과

해석 우리가 그 기업과 놀라운 계약을 할 시간이다.

해설 [It is time+과거 동사]이므로 made가 적절하다.

04
┌─ It is (high) time+과거 동사 ─┐
It is time / that we _____ studying hard / in order to enter the university / we want.
시간이다 / 우리가 열심히 공부를 시작할 / 대학에 들어가기 위해서 / 우리가 원하는

해석 우리가 원하는 대학에 들어가기 위해서 열심히 공부를 시작할 시간이다.

해설 [It is time+과거동사]이므로 started가 적절하다.

05
┌─ It is time+to부정사 ─┐
It is time / _____ the meeting room / in order to discuss the problem.
시간이다 / 회의실 안으로 들어갈 / 그 문제를 토의하기 위해서

해석 그 문제를 토의하기 위해서 회의실 안으로 들어갈 시간이다.

해설 It is time 뒤에는 to부정사가 올 수 있으므로 to enter가 적절하다.

06
                                          ┌─ It is (about) time+과거 동사 ─┐
He has final exams / next week. **It is about time** / that he _____ / playing video games.
그는 기말고사가 있다 / 다음 주에 / 시간이다 / 그가 멈출 / 비디오 게임을 하는 것을

해석 그는 다음 주에 기말고사가 있다. 그가 비디오 게임을 하는 것을 그만둘 시간이다.

해설 [it is (about) time+과거 동사]이므로 stopped가 적절하다.

[01 – 10] 다음 중 알맞은 것을 고르시오.

01   We wish that Lisa is / were a careful driver.

02   My parents treat me as if I am / were a child.

03   It is time that you leave / left him for yourself.

04   I wish he studied / had studied hard in his school days.

05   She looks as if she knows / knew something about this case, but she doesn't.

06   We wish that she agrees / agreed with our plan for the city.

07   Steve looked at me as if he never saw / had never seen me before.

08   I wish I worked / had worked harder when I was young.

09   It is time meeting / to meet the mayor of this city for our contract.

10   It sounds as if they are / were having a party in the room next door, which has been empty for a long time.

Chapter 14 Review

[01 – 10] **다음 중 알맞은 것을 고르시오.**

01   Were you / You were   my friend, you would accept my offer.

02   Dr. Stanley and Mr. Kim felt comfortable around each other at their first meeting as if they   have / had   met before.

03   If Jack had quit smoking, he would   be / have been   with us at this time.

04   If my cat had not died last month, he would   played / have played   with me yesterday.

05   If education   focused / had focused   on creativity, some people could have become great artists and scientists.

06   You'll be frustrated and disappointed   provide / provided   you don't learn what they did.

07   I had / Had I   known he was coming, I would have picked him up this morning.

08   If he had not refused to listen to your advice, his company would not   go / have gone   bankrupt.

09   It is time you   learn / learned   how to do something instead of eating and sleeping.

10   If it   were not / had not been   for the stormy weather, all flights would have arrived on time.

Chapter

15

도치 / 강조 / 병렬 / 기타

Stress

Inversion

Parallel
Structures

어휘를 알면 **구문이 보인다!**

체크! Words & Phrases

POINT 133

☐ closet	옷장
☐ several	몇몇의
☐ selfish	이기적인
☐ common	일반적인
☐ happening	사건
☐ rarely	거의 ~ 하지 않다
☐ limited	한정된
☐ striking	놀라운
☐ curiosity	호기심

POINT 134

☐ highly	매우
☐ elaborate	정교한
☐ communication	의사소통
☐ nonviolence	비폭력
☐ principle	원리
☐ courage	용기
☐ fireplace	화덕
☐ landscape	풍경화
☐ portrait	초상화
☐ blind spot	사각지대
☐ hire	고용하다

POINT 135

☐ release	배출하다
☐ urgent	긴급한
☐ complain	불평하다
☐ satisfy	만족시키다
☐ desire	욕망

★ 모르는 단어에 체크하고, 소리 내어 10번만 뜻과 함께 말해 보세요.

[01 - 20] 다음 빈칸에 알맞은 우리말 뜻이나 단어를 쓰시오.

01 limited _____

02 striking _____

03 common _____

04 principle _____

05 courage _____

06 fireplace _____

07 urgent _____

08 complain _____

09 landscape _____

10 portrait _____

11 비폭력 _____

12 욕망 _____

13 배출하다 _____

14 호기심 _____

15 사각지대 _____

16 거의 ~하지 않다 _____

17 정교한 _____

18 의사소통 _____

19 몇몇의 _____

20 이기적인 _____

133 형용사구의 도치

⟶ **so**+형용사가 문장 맨 앞에 나옴. ⟶ 문장의 주어

So great / **is the effect** of cleanliness / upon man /
      V   S

that it extends / even to his moral character.

너무 대단해서 / 청결의 효과가 / 사람에게 / 그것은 확장한다 / 심지어 그의 도덕적 인격에까지

⋯ 사람에게 청결의 영향력은 너무 커서, 심지어 그 사람의 도덕적 인격에까지 영향을 미친다.

Grammar Point

❶ 문장 맨 앞에 형용사나 분사(-ing/-ed)가 올 때 도치가 이루어진다.

❷ 동사 뒤에 오는 명사/대명사가 주어이므로 수일치에 주의한다.

❸ so ~ that 이나 분사(-ing/-ed), as ~ as 구문이 주로 맨 앞에 나오는 경우가 종종 있다.

Words & Phrases

hide (hide-hid-hidden)
숨기다

closet
옷장

several
몇몇의

selfish
이기적인

common
일반적인

happening
사건

rarely
거의 ~ 하지 않다

limited
한정된

striking
놀라운

curiosity
호기심

🔍 다음 중 알맞은 것을 고르시오.

01   Sitting at the kitchen table ⎡was / to be⎤ his mother.

02   Hidden in the closet ⎡was / were⎤ several bottles of water.

03   So selfish ⎡was / to be⎤ the man that everyone, including me, hated him.

04   So common ⎡is / are⎤ these happenings that they are rarely noticed by others.

05   Included in my book collection ⎡is / are⎤ fifteen limited editions of the writer Phil Jackson.

06   As striking as the Greeks' freedom ⎡is / are⎤ their sense of curiosity about the world.

[01 – 06] 빈칸에 알맞은 말을 넣으시오.

01
　┌ 분사구의 도치　　　　　　　　　V　　　S
Sitting at the kitchen table / ＿＿＿＿＿ his mother. 부엌 식탁에 앉아 있었다 / 그의 엄마가

해석 부엌 식탁에 그의 엄마가 앉아 있었다.

해설 현재분사구인 sitting ~ table이 문장의 앞으로 나간 도치구문이다. 문장의 본동사가 필요하므로 was가 적절하다.

02
　┌ 분사구의 도치　　　　　　　V　　　　　　S
Hidden in the closet / ＿＿＿＿＿ several bottles of water. 옷장 안에 숨겨져 있었다 / 몇 개의 물병이

해석 몇 개의 물병이 옷장 안에 숨겨져 있었다.

해설 분사구인 hidden in the closet가 문장의 앞으로 나간 도치구문이다. 문장의 주어는 동사 뒤에 나오는 several bottles 이므로 복수 동사 were가 적절하다. 동사 앞에 있는 the closet은 함정이다.

03
　　　　　　　V　　　S
So selfish / ＿＿＿＿＿ the man / that everyone, / including me, / hated him.
　　└─── [so+형용사] 도치 / so ~ that 용법 ───┘
너무 이기적이다 / 그 사람은 / 그래서 모든 사람들이 / 나를 포함한 / 그를 싫어했다

해석 그 사람은 너무 이기적이어서 나를 포함한 모든 사람들이 그를 싫어했다.

해설 [so+형용사]가 문장의 앞으로 도치된 구문이다. 주어는 the man이다. 본동사가 필요하므로 was가 적절하다.

04
　　　　　　　V　　　S
So common / ＿＿＿＿＿ these happenings / that they are rarely noticed / by others.
　　└─── [so+형용사] 도치 / so ~ that 용법 ───┘
너무 일반적이라서 / 이러한 사건들이 / 그래서 그들은 거의 알려지지 않는다 / 다른 이들에 의해서

해석 이런 사건들은 너무 일반적이라서, 남들에게 거의 알려지지 않는다.

해설 [so+형용사]가 문장의 앞으로 도치된 구문이다. 주어는 these happenings이므로 복수 동사 are가 적절하다.

05
　┌ 분사구의 도치　　　　　　　　　　V　　　S
Included in my book collection / ＿＿＿＿＿ fifteen limited editions / of the writer Phil
Jackson. 내 책 수집품에 포함되어 있다 / 15개 한정판이 / 작가 필 잭슨의

해석 작가 필 잭슨의 15개 한정판이 내 책 수집에 포함된다.

해설 분사구인 included in my book collection이 문장의 앞으로 나간 도치구문이다. 문장의 주어는 동사 뒤에 나오는 fifteen limited editions이므로 복수 동사 are가 적절하다. 동사 앞에 있는 my book collection은 함정이다.

06
　┌ 형용사구의 도치　　　　　　　　　　V　　　S
As striking as / the Greeks' freedom / ＿＿＿＿＿ their sense of curiosity / about the
world. 놀랍다 / 그리스인들의 자유만큼이나 / 그들의 호기심이 / 세상에 대한

해석 그리스인들의 세상에 대한 호기심은 그들의 자유만큼이나 놀랍다.

해설 형용사구인 as striking as the Greeks' freedom이 문장의 앞으로 나간 도치구문이다. 문장의 주어는 their sense이므로 단수 동사 is가 적절하다.

186

134 부사구의 도치

┌주어아님   V   S   ┌문장의 주어

Among bees / **happens** / **a highly elaborate form** / of communication.

벌들 가운데 / 발생한다 / 매우 정교한 형태가 / 의사소통의

⋯ 벌들 중에 매우 정교한 형태의 의사소통이 발생한다.

Grammar Point

❶ 시간이나 장소의 부사구가 문장 앞에 나올 때, 주어와 동사는 도치된다.

❷ there이나 here가 문장 앞에 나올 경우에도 주어와 동사는 도치된다.

❸ 주어가 대명사일 경우 도치되지 않는다. Here he comes. (O) Here comes he. (X)

시간과 장소의 부사구
There/Here + **V** + **S**

Words & Phrases

highly
매우

elaborate
정교한

communication
의사소통

nonviolence
비폭력

principle
원리

courage
용기

fireplace
화덕

landscape
풍경화

portrait
초상화

blind spot
사각지대

attitude
태도

hire
고용하다

 다음 중 알맞은 것을 고르시오.

01 Here | my sister's new car comes / comes my sister's new car |.

02 At the center of nonviolence | stand / stands | the principle of love.

03 Beyond the learning zone | the courage zone lies / lies the courage zone |.

04 Above the fireplace | was / were | a landscape of the field and a portrait of the king.

05 At the root of many of our blind spots | is / are | a number of emotions or attitudes.

06 There | six people are / are six people | in an elevator with an actor hired by researchers.

[01 – 06] 빈칸에 알맞은 말을 넣으시오.

01

부사구 도치 V   S

Here _____ / my sister's new car. 여기 온다 / 내 여동생의 새 차가

해석 내 여동생의 새 차가 여기 온다.

해설 장소부사인 here가 문장 앞으로 나간 도치구문이다. 따라서 주어와 동사의 위치는 서로 바뀌므로 동사 comes가 주어 앞에 와야 한다.

02

부사구 도치   V   S

At the center of nonviolence / _____ / the principle of love. 비폭력의 중심에 / 서 있다 / 사랑의 원리가

해석 비폭력의 중심에 사랑의 원리가 있다.

해설 장소부사구인 at the center of nonviolence가 문장 앞으로 나간 도치구문이다. 문장의 주어는 the principle이므로 단수 동사인 stands가 적절하다.

03

부사구 도치   V   S

Beyond the learning zone / _____ the courage zone. 학습 영역 너머에 / 놓여 있다 / 용기 영역이

해석 학습 영역 너머에 용기 영역이 있다.

해설 장소부사구인 beyond the learning zone이 문장 앞으로 나간 도치구문이다. 문장의 주어와 동사의 위치는 서로 바뀌므로 동사 lies가 주어 앞에 와야 한다.

04

부사구 도치   V   S

Above the fireplace / _____ a landscape of the field / and a portrait of the king.

벽난로 위에 / 들판의 풍경화와 / 왕의 초상화가 있었다

해석 벽난로 위에 들판의 풍경화와 왕의 초상화가 있었다.

해설 장소부사구인 above the fireplace가 문장 앞으로 나간 도치구문이다. 문장의 주어는 a landscape of the field and a portrait of the king이므로 복수 동사인 were가 적절하다.

05

부사구 도치   V   S

At the root / of many of our blind spots / _____ a number of emotions or attitudes.

뿌리에 / 많은 우리의 사각지대의 / 많은 감정이나 태도가 있다

해석 다수의 정서와 태도가 우리의 많은 사각지대의 근저에 있다.

해설 장소부사구인 at the root of many of our blind spots가 문장 앞으로 나간 도치구문이다. 문장의 주어는 a number of emotions or attitudes이므로 복수 동사인 are가 적절하다.

06

부사구 도치 V   S

There _____ six people / in an elevator / with an actor / hired by researchers.

6명의 사람들이 있다 / 엘리베이터 안에는 / 배우와 함께 / 연구원들에 의해 고용된

해석 엘리베이터 안에는 연구원들이 고용한 배우와 함께 6명의 사람이 있다.

해설 유도부사인 there가 문장 앞에 있어 주어와 동사의 위치는 서로 바뀌므로 동사 are가 주어 앞에 온다.

부정어구의 도치

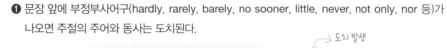

부정어구로 인해서 주어와 동사가 도치됨

Hardly had Susan reported on the fact / before they
부정부사어구　　V　　S → 도치
began to ask / a lot of questions about him.

수잔이 그 사실을 보고하자마자 / 그들은 물어보기 시작했다 / 그에 대한 많은 질문을
⋯ 수잔이 그 사실을 보고하자마자, 그들은 그에 대한 많은 질문을 물어보기 시작했다.

Grammar Point

❶ 문장 앞에 부정부사어구(hardly, rarely, barely, no sooner, little, never, not only, nor 등)가
나오면 주절의 주어와 동사는 도치된다.

도치 발생

hardly, rarely, barely
no sooner, little, not only 등　+　V　+　S
부정부사어구

❷ 동사가 일반동사일 경우 [do/does/did+주어+동사원형]의 순서를 따른다.

다음 중 알맞은 것을 고르시오.

01 We don't use any information about students, nor | we release /
do we release | it to others.

02 Little | they knew / did they know | that she was the spy against their
country.

Words & Phrases

release
배출하다

urgent
긴급한

complain
불평하다

satisfy
만족시키다

desire
욕망

03 Rarely | phone calls are / are phone calls | urgent at this time of day.

04 Hardly | the manager had / had the manager | reported on the situation
before it became worse.

05 Barely | the government is / is the government | able to satisfy our desires.

06 Not until after 9 a.m. | an airplane started / did an airplane start | to go
down the runway toward the ocean for takeoff.

[01 – 06] 빈칸에 알맞은 말을 넣으시오.

01

부정부사어 ┐   V   S

We don't use any information / about students, / nor ＿＿＿＿＿ we release it / to

others. 우리는 어떠한 정보도 사용하지 않는다 / 학생들에 대한 / 우리는 그것을 누설하지도 않는다 / 다른 사람들에게

해석 우리는 학생들에 대한 어떠한 정보도 사용하지 않을뿐더러, 그것을 다른 이들에게 누설하지도 않는다.

해설 부정부사어 nor가 문장 앞에 있으므로 뒤에는 [동사+주어]의 어순으로 도치되는데, 일반동사가 쓰였으므로 do가 주어 앞에 와야 한다.

02

┌ 부정부사어 V   S

Little ＿＿＿＿＿ they know / that she was the spy / against their country.

그들은 전혀 알지 못했다 / 그녀가 스파이였다는 것을 / 그들 나라에 반하는

해석 그들은 그녀가 나라에 반하는 스파이였다라는 것을 전혀 알지 못했다.

해설 부정부사어 Little이 문장 앞에 있으므로 뒤에는 [동사+주어]의 어순으로 도치되는데, 일반동사가 쓰였으므로 did가 주어 앞에 와야 한다.

03

┌ 부정부사어 V   S

Rarely ＿＿＿＿＿ phone calls urgent / at this time of day. 전화는 거의 긴급하지 않다 / 하루 중 이맘때에

해석 하루 중 이맘때에 오는 전화는 거의 긴급하지 않다.

해설 부정부사어 rarely가 문장 앞에 있으므로 뒤에는 [동사+주어]의 어순으로 도치되어 be동사 are가 주어 앞에 와야 한다.

04

┌ 부정부사어   S

Hardly ＿＿＿＿＿ the manager reported / on the situation / before it became worse.

매니저는 보고하지 않았다 / 그 상황에 대해서 / 그것이 악화되기 전에

해석 매니저는 그 상황이 악화되기 전에 그 상황에 대해서 보고하지 않았다.

해설 부정부사어 hardly가 문장 앞에 있으므로 뒤에는 [동사+주어]의 어순으로 도치되는데, 과거완료시제가 쓰였으므로 had가 주어 앞에 와야 한다.

05

┌ 부정부사어 V   S

Barely ＿＿＿＿＿ the government able / to satisfy our desires.

정부는 간신히 할 수 있다 / 우리의 욕구를 충족시키는 것을

해석 정부는 간신히 우리의 욕구를 충족시킬 수 있다.

해설 부정부사어 barely가 문장 앞에 있으므로 뒤에는 [동사+주어]의 어순으로 도치되어 be동사 is가 주어 앞에 와야 한다.

06

┌ 부정부사어   V   S

Not until after 9 a.m. / ＿＿＿＿＿ an airplane start / to go down the runway / toward the

ocean / for takeoff. 오전 9시 이후가 되어서야 / 비행기가 출발했다 / 활주로를 기는 것을 / 바다 방향으로 / 이륙을 위해

해석 오전 9시 이후가 되어서야 비행기가 이륙을 위해서 바다 방향으로 활주로를 달리기 시작했다.

해설 부정부사어 not until after 9 a.m.이 문장 앞에 있으므로 뒤에는 [동사+주어]의 어순으로 도치되는데, 일반동사가 쓰였으므로 did가 주어 앞에 와야 한다.

[01-10] 다음 중 알맞은 것을 고르시오.

01 Rarely | cultures have / have cultures | been completely isolated from outside influence.

02 Little | he knew / did he know | that he was fueling his son a passion.

03 So strong | was / were | the wind that several trees were blown down.

04 Seldom | Tim used / did Tim use | the elevator, even when he lived on the fifth level.

05 So enormous | was / to be | the damage of the fire that it might be hard to recover this area.

06 Popular at this time | was / were | stories about lovers who could not attain their love.

07 Never | I have / have I | used the program, which can make the situation worse.

08 As meaningless as describing an average American meal | is / are | trying to define each email style.

09 At the top of the list | is / are | gardening for your own food.

10 No sooner | he had / had he | seen the woman than he started to cry.

체크! Words & Phrases

POINT 136

☐ language	언어
☐ symbolize	상징화하다
☐ lately	최근에
☐ performance	공연, 실적
☐ aware	아는
☐ available	이용 가능한
☐ engineer	기술자
☐ make improvements on	~을 개선하다
☐ sprinkler	스프링클러
☐ nowadays	요즘
☐ concept	개념

POINT 137

☐ principle	원리
☐ critical	비판적인
☐ repair	수리하다
☐ prepare	준비하다
☐ require	요구하다
☐ purse	지갑
☐ be unwilling to	내키지 않다

POINT 138

☐ co-worker	동료
☐ peer	친구
☐ direct	직접적인
☐ experience	경험
☐ primitive	원시의
☐ influence	영향력
☐ intent	의도

★ 모르는 단어에 체크하고, 소리 내어 10번만 뜻과 함께 말해 보세요.

[01 – 20] 다음 빈칸에 알맞은 우리말 뜻이나 단어를 쓰시오.

01 peer _____

02 be willing to _____

03 co-worker _____

04 aware _____

05 available _____

06 critical _____

07 nowadays _____

08 influence _____

09 intent _____

10 concept _____

11 수리하다 _____

12 원리 _____

13 상징화하다 _____

14 최근에 _____

15 직접적인 _____

16 경험 _____

17 공연, 실적 _____

18 준비하다 _____

19 요구하다 _____

20 원시의 _____

136 only+부사(구) 도치

> only+부사 → 도치

Only recently / **have humans** created / various
　　　　　　　　　V　　　S
languages and alphabets / to symbolize these
"picture" messages.

최근에서야 / 인간은 만들어 냈다 / 다양한 언어와 알파벳을 / 이러한 '그림' 메시지를 상징화하기 위해서
⋯→ 최근에서야 인간은 이 '그림' 메시지를 기호로 나타내기 위해서 다양한 언어와 알파벳을 만들어 냈다.

Grammar Point

❶ [only+부사/부사구/부사절] 이 문장의 앞에 온다면 뒤에 오는 주어와 동사는 도치된다.

　　　　　Only+부사/부사구/부사절+V+S

❷ [only+명사]는 주어와 동사를 도치하지 않는다.

Words & Phrases

various
다양한

language
언어

symbolize
상징화하다

lately
최근에

performance
공연, 실적

aware
아는

available
이용 가능한

engineer
기술자

make improvements on
~을 개선하다

sprinkler
스프링클러

nowadays
요즘

concept
개념

Ⓥ **다음 중 알맞은 것을 고르시오.**

01　Only lately ⏐Ms. Kim has / has Ms. Kim⏐ shown better work performance.

02　Only on weekends ⏐Susan goes / does Susan go⏐ shopping with her daughter.

03　Only by considering what we would feel ⏐we can / can we⏐ understand how they feel.

04　Only after they are made aware that the products are available in the market ⏐customers buy / do customers buy⏐ them.

05　Only some years later, when other engineers made improvements on the kind of sprinkler heads in use nowadays, ⏐the concept became / did the concept become⏐ popular.

[01-05] 빈칸에 알맞은 말을 넣으시오.

01
　　┌ only+부사　　　　　　V　　　　S
Only lately / ＿＿＿＿＿ Ms. Kim shown / better work performance.
최근이 되어서야 / 김 씨는 보여주었다 / 더 나은 일의 성과를

> **해석** 최근이 되어서야 김 씨는 더 나은 성과를 보여주었다.
> **해설** [only+부사]가 문장 맨 앞에 오므로 뒤에는 [동사+주어]의 도치된 구문이 오는데 현재완료 시제가 쓰여 조동사 has가 주어 앞에 온다.

02
　　┌ only+부사구　　　　　　　V　　　　S
Only on weekends / ＿＿＿＿＿ Susan go shopping / with her daughter.
오직 주말에만 / 수잔은 쇼핑하러 간다 / 그녀의 딸과 함께

> **해석** 오직 주말에만 수잔은 그녀의 딸과 함께 쇼핑하러 간다.
> **해설** [only+부사구]가 문장 맨 앞에 오므로 뒤에는 [동사+주어]의 도치된 구문이 오는데 일반동사가 쓰여 does가 주어 앞에 온다.

03
　　┌ only+부사구　　　　　　　　　　　　V　　　　S
Only by considering / what we would feel / ＿＿＿＿＿ we understand / how they feel.
오직 고려함으로써 / 우리가 느끼는 것을 / 우리는 이해할 수 있다 / 그들이 어떻게 느끼는 것인지

> **해석** 오직 우리가 느끼는 것을 고려함으로써, 우리는 그들이 느끼는 바를 이해할 수 있다.
> **해설** [only+부사구]가 문장 맨 앞에 오므로 뒤에는 [동사+주어]의 도치된 구문이 오는데, 조동사 can이 쓰여 주어 앞에 와야 한다.

04
　　┌ only+부사절
Only after they are made aware / that the products are available / in the market /

　　　　V　　　　S
＿＿＿＿＿ customers buy them.
오직 그들이 알게 된 이후에만 / 그 상품들이 구입가능하다는 것을 / 시장에서 / 고객들은 그것들을 구매한다

> **해석** 고객들이 그 상품들이 시장에서 구입가능하다는 것을 알게 된 이후에만, 그것들을 구매한다.
> **해설** [only+부사절]이 문장 맨 앞에 오므로 뒤에는 [동사+주어]의 도치된 구문이 오는데 일반동사가 쓰였으므로 do가 주어 앞에 와야 한다.

05
　　┌ only+부사구
Only some years later, / [when other engineers made improvements on / the kind of

　　　　　　　　　　　　　　　　　　V　　　　S
sprinkler heads / in use nowadays,] / ＿＿＿＿＿ the concept become popular.
오직 몇 년 이후에야 / 다른 엔지니어들이 개선했던 / 스프링클러 헤드의 종류를 / 오늘날 사용 중인 / 그 개념이 대중적이 되었다

> **해석** 몇 년 후에 다른 엔지니어들이 요즈음에 사용되는 종류의 스프링클러 헤드를 개선했을 때에야 비로소 그 개념은 대중화 되었다.
> **해설** [only+부사]가 문장 맨 앞에 오므로 뒤에는 [동사+주어]의 도치된 구문이 오는데, 일반동사가 쓰였으므로 did가 주어 앞에 와야 한다.

not only vs. not until

뒤에 주어, 동사는 도치

help+O+동사원형

Not only does science fiction help / students see
           V   S   → science fiction
scientific principles / in action, / but **it** also builds their
critical thinking.

> 과학소설은 도울 뿐만 아니라 / 학생들이 과학적 원리를 알도록 / 실제로 쓰이는
> / 그것은 그들의 비판적 사고를 만들어준다 … 과학소설은 학생들이 실제로 쓰이
> 는 과학적 원리를 알도록 해줄 뿐만 아니라, 학생들의 비판적 사고력을 키워준다.

Grammar Point

❶ not only 안의 절은 주어와 동사 도치, but also 안은 도치 X
   Not only + V + S, but also + S + V
❷ not until 안은 도치 X, 뒤에 오는 절은 도치
   Not until + S + V, V + S

다음 중 알맞은 것을 고르시오.

01 Not until hours later we found / did we find her missing dog.

02 Not only he repaired / did he repair their computers, but also prepared dinner for them.

03 Not until the snow stopped / did the snow stop , could they leave from the hotel.

04 Not only there was / was there no word of thanks, but at the beginning of your letter you just required me to do that.

05 Not until I got / did I get home, did I realize that I had left my purse on the bench at the bus stop.

06 Not only students will / will students be unwilling to follow such schedules, but also many teachers will not agree.

Words & Phrases

principle
원리

critical
비판적인

missing
실종된

repair
수리하다

prepare
준비하다

require
요구하다

realize
깨닫다

purse
지갑

be unwilling to
내키지 않다

[01-06] 빈칸에 알맞은 말을 넣으시오.

01

┌ not until 부정부사어구   V   S

Not until hours later / _____ we find / her missing dog.

몇 시간이 지나서야 / 우리는 찾았다 / 그녀의 잃어버린 개를

해석 몇 시간이 지나고 나서야 비로소, 우리는 그녀의 잃어버린 개를 찾았다.

해설 not until이라는 부정부사어구가 문장 맨 앞에 오므로 뒤에는 [동사+주어]의 도치된 구문이 온다. 일반동사가 쓰였으므로 did가 주어 앞에 와야 한다.

02

          V   S

Not only _____ he repair their computers, / but also prepared dinner / for them.

그가 그들의 컴퓨터를 수리했을 뿐만 아니라 / 저녁을 준비했다 / 그들을 위한

해석 그는 그들의 컴퓨터를 수리해 주었을 뿐만 아니라, 그들을 위한 저녁을 준비했다.

해설 not only 뒤에는 [동사+주어]의 도치된 구문이 온다. 일반동사가 쓰였으므로 조동사 did가 주어 앞에 와야 한다.

03

┌ not until 부정부사어구   V   S

Not until the snow stopped / _____ they leave / from the hotel.

눈이 그치고 나서야 비로소 / 그들은 떠날 수 있었다 / 호텔을

해석 눈이 그치고 나서야 비로소, 그들은 호텔을 떠날 수 있었다.

해설 not until 안에 있는 절은 도치되지 않고, not until 구문이 끝난 다음에 오는 절이 도치된다. 여기서는 조동사 could가 주어 앞에 와야 한다.

04

         V   ┌ 유도부사   S

Not only _____ there no word of thanks, / but at the beginning of your letter / you just required me / to do that.

감사의 단어가 없을뿐더러 / 너의 편지의 처음에는 / 너는 단지 나에게 요구했다 / 그것을 하라고

해석 감사의 말이 없었을뿐더러, 너의 편지 처음에 나에게 그것을 하라고 요구할 뿐이었다.

해설 not only가 앞에 있으므로 원래의 [there+was]가 도치되어 be동사 was가 there 앞에 와야 한다.

05

┌ not until 부정부사어구   V   S

Not until I got home / _____ I realize / that I had left my purse / on the bench / at the bus stop.

내가 집에 도착하고 나서야 비로소 / 나는 깨달았다 / 내가 지갑을 놔두고 왔다는 것을 / 벤치에 / 버스 정류장에 있는

해석 내가 집에 도착하고 나서야 나는 버스정류장에 있는 벤치에 지갑을 놔두고 왔다는 것을 깨달았다.

해설 not until 안에 있는 절은 도치되지 않고, not until 구문이 끝난 다음에 오는 절이 도치된다. 여기서는 일반동사가 쓰였으므로 did가 주어 앞에 와야 한다.

06

          V   S

Not only _____ students be unwilling to / follow such schedules, / but also many teachers will not agree.

학생들은 할 리가 없을 뿐만 아니라 / 그런 계획을 따르는 것을 / 많은 교사들도 동의하지 않을 것이다

해석 학생들은 그런 계획을 따르려고 하지 않을뿐더러, 교사들도 동의하지 않을 것이다.

해설 not only가 앞에 있으므로 뒤에 나오는 문장은 [동사+주어]의 도치가 된다. 따라서 조동사 will이 주어 앞에 와야 한다.

POINT 138 than / as 도치

S ▼
Women / who are heavy coffee drinkers / **find** more
errors in the study / **than do less caffeinated women.**

↳ than 뒤에 주어와 동사가 도치되었다

여성들은 / 커피를 많이 마시는 / 더 많은 오류를 발견한다 / 그 연구에서 / 카페인에 적게 중독된 여성들보다

···→ 커피를 많이 마시는 여성들은 적게 마시는 여성들보다 그 연구에서의 더 많은 오류를 발견한다.

Grammar Point

❶ 비교급을 나타내는 as/than 뒤에 도치가 일어날 수도 있다.

❷ as/than 뒤에 주어가 대명사일 경우 도치가 되지 않는다.

S V
He is very kind, as you are. 그는 너처럼 매우 친절하다.

 다음 문장의 밑줄 친 부분을 해석하시오.

01 James wanted to get his work done quickly, <u>as did most of his co-workers.</u>

02 My son plays more video games <u>than do his cousins.</u>

03 Shawn spent a lot of hours learning English after school, <u>as did his peers.</u>

04 She was very kind and diligent, <u>as were most of her friends.</u>

05 Modern men depend less on their direct experience <u>than did the primitive ones.</u>

06 Words and language have great power and influence, <u>as does the intent behind them.</u>

Words & Phrases

co-worker
동료

peer
친구

diligent
근면한

depend on
~에 의존하다

direct
직접적인

experience
경험

primitive
원시의

influence
영향력

intent
의도

[01 – 06] 빈칸에 알맞은 말을 넣으시오.

01

V S

James wanted / to get his work done / quickly, / as _____ most of his co-workers.
제임스는 원했다 / 그의 일을 끝내기를 / 빨리 / 대부분의 동료들이 했던 것처럼

해석 제임스는 대부분의 동료들이 했던 것처럼 그의 일을 빨리 끝내기를 원했다.

해설 비교급의 as 뒤에 절이 올 경우 주어와 동사는 도치될 수 있다. 빈칸에는 일반동사 wanted 대신 did가 적절하다.

02

V S

My son plays more video games / than _____ his cousins.
내 아들은 더 많이 비디오게임을 한다 / 그의 사촌들이 하는 것보다

해석 내 아들은 사촌들이 하는 것보다 더 많이 비디오 게임을 한다.

해설 비교급의 than 뒤에 문장이 올 경우 주어와 동사는 도치될 수 있다. 빈칸에는 일반동사(play) 대신 do가 적절하다.

03

V S

Shawn spent a lot of hours / learning English / after school, / as _____ his peers.
숀은 많은 시간을 소비했다 / 영어를 배우는 데 / 방과 후에 / 그의 친구들이 했던 것만큼

해석 숀은 그의 친구들이 했던 것만큼 방과 후에 영어를 배우는 데 많은 시간을 소비했다.

해설 비교급의 as 뒤에 문장이 올 경우 주어와 동사는 도치될 수 있다. 빈칸에는 일반동사(spent) 대신 did가 적절하다.

04

V S

She was very kind and diligent, / as _____ most of her friends.
그녀는 매우 친절하고 근면하다 / 그녀의 친구들의 대부분이 그런 것처럼

해석 그녀는 친구들의 대부분이 그런 것처럼 매우 친절하고 근면했다.

해설 비교급의 as 뒤에 문장이 올 경우 주어와 동사는 도치될 수 있다. 주어가 복수이므로 빈칸에는 were가 적절 하다.

05

V S ┌ men

Modern men depend less / on their direct experience / than _____ the primitive ones.
현대인들은 덜 의존한다 / 그들의 직접 경험에 / 원시인들이 했던 것보다

해석 현대인들은 원시인들이 했던 것보다 직접 경험에 덜 의존한다.

해설 비교급의 than 뒤에 문장이 올 경우 주어와 동사는 도치될 수 있다. 빈칸에는 일반동사(depend의 과거) 대신 조동사 did가 적절하다.

06

V S

Words and language / have great power and influence, / as _____ the intent / behind them. 어휘와 언어는 / 엄청난 힘과 영향을 가진다 / 의도가 하는 것만큼 / 그들 뒤에 있는

해석 어휘와 언어는 그 뒤에 있는 의도가 갖고 있는 것처럼 엄청난 힘과 영향력이 있다.

해설 비교급의 as 뒤에 문장이 올 경우 주어와 동사는 도치될 수 있다. 빈칸에는 주어가 단수(the intent)이기 때문에 일반동사(have) 대신 조동사 does가 적절하다.

[01－10] **다음 중 알맞은 것을 고르시오.**

01　Only after I finish my work ｜can I / I can｜ help him with this problem.

02　Not until the first land plants developed ｜many land animals appeared / did many land animals appear｜.

03　Only after their first birthday ｜people have / do people have｜ different answers to the question.

04　Only then ｜its novelty will / will its novelty｜ have become worn out.

05　Only later ｜I realized / did I realize｜ that they wouldn't come back here.

06　Not until last month ｜the company planned / did the company plan｜ to open the first store in Seoul.

07　Not only did academic painters study with trained artists, but ｜they were / were they｜ also part of the local art community.

08　Only after everyone had finished lunch ｜the hostess would / would the hostess｜ inform her guests that they had just eaten tuna salad.

09　Not until ｜my students called / did my students call｜ me, did I turn around.

10　Not only ｜he started / did he start｜ talking much sooner than most children do, but he could memorize nearly all the pages.

어휘를 알면 **구문이 보인다!**

체크! Words & Phrases

POINT 139

☐ production	생산
☐ aspect	특성, 속성
☐ common sense	상식
☐ innovation	혁신
☐ generator	발전기
☐ innocence	무죄, 순결
☐ cathedral	대성당
☐ improve	개선하다

POINT 140

☐ limitation	제한, 한계
☐ creative	창의적인
☐ imagination	상상력
☐ longevity	수명
☐ insight	직관력
☐ spiritually	정신적으로

POINT 141

☐ gardener	정원사
☐ emotion	감정
☐ originate	발생하다
☐ lag behind	뒤처지다
☐ fellow	동료
☐ parking lot	주차장
☐ complex	복잡한
☐ frequently	빈번히
☐ humid	습한
☐ go hand in hand with	~와 연관이 있다
☐ loyal	충실한

★ 모르는 단어에 체크하고, 소리 내어 10번만 뜻과 함께 말해 보세요.

[01 – 20] 다음 빈칸에 알맞은 우리말 뜻이나 단어를 쓰시오.

01 aspect _____

02 complex _____

03 insight _____

04 common sense _____

05 innovation _____

06 spiritually _____

07 creative _____

08 imagination _____

09 generator _____

10 emotion _____

11 수명 _____

12 개선하다 _____

13 습한 _____

14 충실한 _____

15 무죄, 순결 _____

16 대성당 _____

17 발생하다 _____

18 뒤처지다 _____

19 동료 _____

20 제한, 한계 _____

목적어가 길어서 생긴 도치

목적격 보어   목적어 → 너무 길어서 목적격 보어와 도치됨.

X-rays make visible / **the details** / that are otherwise

impossible / to observe.

엑스레이는 보이게 만든다 / 세부적인 내용들을 / 그렇지 않았으면 불가능했던 / 보는 것이

⋯ 엑스레이는 존재하지 않았다면 보는 것이 불가능했던 세부적인 내용들을 보이게 만들어준다.

Grammar Point

❶ 목적어가 수식을 받거나 긴 경우 문장 뒤로 보낸다.

❷ 5형식의 목적어가 긴 경우, 목적격 보어 뒤로 가기도 한다.

❸ 5형식의 목적어와 목적격 보어가 도치된 경우, 가목적어 it을 쓰지 않는다.

Words & Phrases

production
생산

aspect
특성, 속성

common sense
상식

innovation
혁신

generator
발전기

generate
발생하다

proof
증거

innocence
무죄, 순결

cathedral
대성당

invention
발명

improve
개선하다

다음 문장의 밑줄 친 부분을 해석하시오.

01 Machines <u>have made possible the mass production of all kinds of goods</u>.

02 Philosophy <u>makes clear the aspects of life that cannot be seen with common sense</u>.

03 Armstrong's innovations <u>made useless the huge generator used for generating power</u>.

04 He <u>considered as proof of her innocence the fact that she had heard the bell</u> of the clock tower of St. Paul's Cathedral.

05 The invention of LED <u>made possible greatly improved lights and lamps</u>.

[01 – 05] 빈칸에 알맞은 말을 넣으시오.

01

　　　　　　　V　　　OC　　　　　　　　O
Machines ＿＿＿＿＿＿＿＿＿ / the mass production / of all kinds of goods.
기계들은 가능하게 만들었다 / 대량 생산을 / 모든 종류의 물품의

해석 기계들은 모든 종류의 물품의 대량생산을 가능하게 했다.

해설 목적어인 the mass production of all kinds of goods가 길어서 목적격 보어인 possible과 도치된 구문이다. 따라서, 빈칸에는 have made possible이 적절하다.

02

　　　　　　　V　　　OC　　　　　　　　　O
Philosophy ＿＿＿＿＿＿＿ / the aspects of life / that cannot be seen / with
common sense. 철학은 명확하게 만든다 / 삶의 속성을 / 보여질 수 없는 / 상식으로는

해석 철학은 상식으로는 보여질 수 없는 삶의 속성을 명확하게 만든다.

해설 목적어인 the aspects of life가 관계사절의 수식을 받아 길어져서, 목적격 보어인 clear와 도치된 구문이다. 따라서 빈칸에는 makes clear가 적절하다.

03

　　　　　　　　　　　　　　V　　　OC　　　　　　　　O
Armstrong's innovations / ＿＿＿＿＿＿＿＿＿ / the huge generator / used for generating
power. 암스트롱의 혁신은 / 쓸모없게 만들었다 / 엄청난 발전기를 / 전력을 만들기 위해서 사용된

해석 암스트롱의 혁신은 전력을 만들기 위해서 사용되는 거대한 발전기를 쓸모없게 만들었다.

해설 목적어인 the huge generator가 분사구(used for generating power)의 수식을 받아 길어져서, 목적격 보어인 useless와 도치된 구문이다. 따라서 빈칸에는 made useless가 적절하다.

04

　　　V　　　　　　OC　　　　　　　　O
He ＿＿＿＿＿＿＿＿＿ of her innocence / the fact / that she had heard / the bell of the
clock tower / of St. Paul's Cathedral.
그는 간주했다 / 그녀의 무죄의 증거로서 / 사실을 / 그녀가 들었다는 / 시계탑의 종소리를 / 성 바울 대성당의

해석 그는 성 바울 대성당의 시계탑 종소리를 그녀가 들었다는 사실을 그녀의 무죄의 증거로서 간주했다.

해설 목적어인 the fact가 동격절(that she ~ St. Paul's Cathedral)의 수식을 받아 길어져서, 목적격 보어인 as proof of her innocence와 도치된 구문이다. 따라서 빈칸에는 동사 considered as proof가 적절하다.

05

　　　　　　　　　　　V　　OC　　　　　　　　　O
The invention of LED / ＿＿＿＿＿＿＿＿ / greatly improved lights and lamps.
LED의 발명은 / 가능하게 만들었다 / 엄청나게 개선된 전등과 램프가

해석 LED의 발명은 크게 개선된 전등과 램프를 가능하게 만들었다.

해설 목적어인 greatly improved lights and lamps가 길어서 목적격 보어인 possible과 도치된 구문이다. 따라서 빈칸에는 made possible이 적절하다.

It ~ that 강조구문

It ~ that

It is **the bad characters** / **that** are routinely punished /
↳ 강조되는 부분

by the end of the story.

바로 나쁜 등장인물들이다 / 통상적으로 벌을 받는 사람들이 / 이야기의 마지막 무렵에
⋯ 이야기의 마지막 무렵에 통상적으로 벌을 받는 사람이 바로 나쁜 등장인물들이다.

Grammar Point

❶ It ~ that 사이에 강조되는 부분이 들어간다.
❷ 강조되는 것은 명사, 대명사, 부사, 부사구, 부사절, 전치사구이다. (동사와 형용사 제외)
❸ It is/was의 시제는 that절의 시제로 맞추는 것이 일반적이고, 미래시제는 현재시제로 사용해도 된다.

| It is/was | + | 명사, 대명사, 부사, 부사구, 부사절, 전치사구 | + | that ~ |

↳ 형용사, 동사 X   ↳ 강조되는 종류에 따라
                        who, where, when 가능

Words & Phrases

character
등장인물

punish
벌하다

limitation
제한, 한계

creative
창의적인

imagination
상상력

modern
현대적인

quality
질

longevity
수명

insight
직관력

spiritually
정신적으로

다음 중 알맞은 것을 고르시오.

01　It was at a shopping mall which / where I saw their kids yesterday.

02　It is the limitations who / that help me free my creative imagination.

03　It was between 1860 and 1868 which / when the modern newspaper
　　was born.

04　 It / That is the quality of life rather than longevity that is important.

05　It is because of wisdom and insight that / what we grow mentally and
　　spiritually.

06　It is only when water levels reach 3 meters above normal where / that
　　steel gates close shut.

[01 – 06] 빈칸에 알맞은 말을 넣으시오.

01

It ~ that[where] 강조구문

It was at a shopping mall / _____ I saw their kids / yesterday.

강조되는 부분

바로 쇼핑몰에서였다 / 내가 그들의 아이들을 본 것이 / 어제

해석 내가 어제 그들의 아이들을 본 것이 바로 쇼핑몰에서였다.

해설 It ~ that 강조구문으로 강조되는 부분은 at a shopping mall이므로 관계대명사 which는 올 수가 없고 장소를 나타내는 where가 적절하다.

02

It ~ that강조구문

It is the limitations / _____ help me / free my creative imagination.

강조되는 부분

바로 그 한계들이 / 나를 돕는다 / 내 창의적인 상상력을 자유롭게 하도록

해석 내가 나의 창의적인 상상력을 자유롭게 하도록 돕는 것은 바로 그 한계들이다.

해설 강조되는 부분이 the limitations이므로 사람을 강조하는 who는 올 수가 없고 that이 적절하다.

03

It ~ that[when] 강조구문

It was between 1860 and 1868 / _____ the modern newspaper was born.

강조되는 부분

바로 1860년과 1868년 사이였다 / 현대의 신문이 태어난 때는

해석 현대 신문이 태어난 때는 바로 1860년과 1868년 사이였다.

해설 강조되는 부분이 between 1860 and 1868(전치사구)이므로 사물을 강조하는 which는 올 수가 없고 시간을 나타내는 when이 적절하다.

04

It ~ that 강조구문

_____ is the quality of life / rather than the longevity / that is important.

강조되는 부분

바로 삶의 질이다 / 수명이라기보다는 / 중요한 것이

해석 중요한 것은 바로 수명이 아닌 삶의 질이다.

해설 해석상 the quality ~ the longevity를 강조하고 있으므로 It ~ that 강조구문이 되어야 하므로 It이 적절하다.

05

It ~ that 강조구문

It is because of wisdom and insight / _____ we grow mentally and spiritually.

강조되는 부분

바로 지혜와 통찰력 때문이다 / 우리가 정신적으로 그리고 영적으로 성장하는 것이

해석 우리가 정신적으로 그리고 영적으로 성장해 나가는 것이 바로 지혜와 통찰력 때문이다.

해설 뒤에 완전한 문장이 나오며, 내용상 because of wisdom and insight를 강조하는 구문이므로 that이 적절하다.

06

It ~ that 강조구문

It is only when water levels reach 3 meters / above normal / _____ steel gates close shut.

강조되는 부분

오직 수위가 3미터에 도달할 때이다 / 보통보다 높은 / 철문이 닫힌다

해석 바로 수위가 평상시보다 높은 3미터에 도달할 때에만 철문이 닫힌다.

해설 강조되는 부분이 only when ~ above normal이므로 장소를 강조하는 where는 올 수가 없고 that이 적절하다.

여러 가지 강조

s · · · · · → the gardener 를 강조 · · · · · ·   v

The gardener **himself** / **who grows irises** / **does have** one job / to do about every four years.

정원사 자신은 / 아이리스를 키우는 / 한 가지 일이 있다 / 약 4년마다 할

··· 아이리스(붓꽃)를 키우는 정원사 자신이 대략 4년마다 할 일이 하나 있다.

Grammar Point

❶ 명사나 대명사 바로 뒤나, 문장 마지막에 재귀대명사를 쓰면 강조할 수 있다.

❷ 일반동사 앞에 **do**동사를 쓰면, 동사를 강조할 수 있다.

   I do trust you. 나는 너를 정말 믿어.

❸ 비교급의 강조는 even, far, still, much, a lot, a little 등이 할 수 있다.

Words & Phrases

gardener
정원사

emotion
감정

originate
발생하다

lag behind
뒤처지다

fellow
동료

parking lot
주차장

language
언어

complex
복잡한

frequently
빈번히

humid
습한

loyalty
충성, 충실

go hand in hand with
~와 연관이 있다

loyal
충실한

다음 문장의 밑줄 친 부분이 강조하는 것을 찾으시오.

01 The emotion <u>itself</u> is tied to the situation in which it originates.

02 In the end, her mother <u>did</u> give Rose a honey cake on her birthday.

03 He felt <u>even</u> more tired because he had to lag behind his fellows.

04 The restaurant with the fullest parking lot usually <u>does</u> have the best food.

05 Languages with complex tones <u>do</u> occur less frequently in dry areas than in humid ones.

06 If you believe that loyalty goes hand in hand with friendship, you are probably a loyal friend <u>yourself</u>.

[01 – 06] 빈칸에 알맞은 말을 넣으시오.

01

┌ the emotion 강조

The emotion _____ / is tied to the situation / in which it originates.

감정 그 자체는 / 상황에 연결된다 / 그것이 발생하는

해석 감정 그 자체는 감정이 발생하는 상황에 매여 있다.

해설 The emotion을 강조하기 위한 재귀대명사 itself가 적절하다.

02

┌ 동사 강조

In the end, / her mother _____ give Rose / a honey cake / on her birthday.

결국에는 / 그녀의 엄마는 로즈에게 주었다 / 벌꿀 케이크를 / 그녀의 생일에

해석 결국 로즈의 엄마는 생일에 그녀에게 벌꿀 케이크를 주었다.

해설 동사 give를 강조하기 위한 did가 적절하다.

03

┌ 비교급 강조

He felt _____ more tired / because he had to lag behind his fellows.

그는 훨씬 더 피곤함을 느꼈다 / 왜냐하면 그는 동료보다 뒤처져야만 했기 때문이다

해석 그는 동료보다 뒤처져야만 했기 때문에 훨씬 더 피곤함을 느꼈다.

해설 비교급을 강조하는 even[still, far, a lot]이 적절하다.

04

　　　　S　　　　　　　　　　　　　　　　　　　　　　　　동사 강조 ┐ V

[The restaurant / with the fullest parking lot] / usually _____ have the best food.

식당은 / 주차장이 꽉 찬 / 보통 최고의 음식을 지닌다

해석 주차장이 꽉 찬 식당이 대개 최고의 음식을 제공한다.

해설 동사 have를 강조하기 위한 does가 적절하다.

05

　　　　S　　　　　　　　　　　　　　　　동사 강조 ┐ V

[Languages / with complex tones] / _____ occur less frequently / in dry areas / than in humid ones. 언어는 / 복잡한 성조를 가진 / 덜 빈번히 발생한다 / 건조한 지역에 / 습한 지역보다

└ areas

해석 복잡한 성조를 가진 언어는 습한 지역보다는 건조한 지역에서 덜 빈번히 발생한다.

해설 동사 occur를 강조하기 위한 do가 적절하다.

06

┌ you를 강조

If you believe / that loyalty goes hand in hand / with friendship, / you are probably a loyal friend _____. 당신이 믿는다면 / 충직성이 연관이 있다 / 우정과 / 당신은 아마도 충직한 친구일 것이다

해석 충직성이 우정과 연관되어 있다고 당신이 생각한다면, 당신 자신이 아마도 충직한 친구일 것이다.

해설 you를 강조하기 위한 재귀대명사 yourself가 적절하다.

[01-10] 다음 중 알맞은 것을 고르시오.

01 It was two weeks later which / when she heard the rumor.

02 This is a very / much more exciting game than the last one.

03 This program made easy / it easy the usage which people need for operating the process.

04 It was while she was studying in London where / that she met Tom for the second time.

05 One's memories grow much / very sharper even after a long passage of time.

06 Jane kept warm / it warm a small kitty that was trembling all over.

07 It / That was not until the accident happened that Jacob became aware of his foolishness.

08 Our team should set a very / far higher standard for our customers this year.

09 What difference would it make if we are / did get there late?

10 It is / was the book about biology that he bought me for my birthday.

체크! Words & Phrases

POINT 142

☐ throughout	~내내, 도처에
☐ symbolic	상징적인
☐ process	과정
☐ imprint	각인시키다
☐ conflict	갈등
☐ unavoidable	피할 수 없는
☐ similar	유사한
☐ judge	판단하다
☐ development	발전, 발달

POINT 143

☐ velocity	속도
☐ amount	양
☐ export	수출
☐ victim	희생자
☐ renewables	재생연료
☐ gap	차이
☐ primary school	초등학교

POINT 144

☐ chore	집안일
☐ excitement	흥분
☐ shift	변하다
☐ please	즐겁게 하다
☐ forage	수렵활동하다
☐ psychological	심리학적인
☐ physical	신체적인
☐ pressure	압력
☐ sue	고소하다

★ 모르는 단어에 체크하고, 소리 내어 10번만 뜻과 함께 말해 보세요.

[01 - 20] 다음 빈칸에 알맞은 우리말 뜻이나 단어를 쓰시오.

01 velocity _____

02 shift _____

03 please _____

04 process _____

05 chore _____

06 judge _____

07 unavoidable _____

08 export _____

09 victim _____

10 similar _____

11 신체적인 _____

12 상징적인 _____

13 각인시키다 _____

14 고소하다 _____

15 수렵활동하다 _____

16 심리학적인 _____

17 발전 _____

18 압력 _____

19 재생연료 _____

20 차이 _____

142 병렬구조

┌─ 가주어 it

It is important / **to recognize** your pet's particular

→ to recognize ~ and (to) respect 의 병렬구조이다. respects(X)

needs / **and respect them**.

중요하다 / 여러분의 애완동물의 구체적인 욕구를 인지하고 / 그것들을 존중하는 것이

⋯ 여러분 애완동물이 가진 특정한 욕구를 인지하고, 그것을 존중해주는 것이 중요하다.

Grammar Point

❶ A and B, A or B, not only A but also B, not A but B, A than B에서 A와 B의 문법적,
속성적 구조가 동일해야 한다. 즉 〈명사 and 명사〉, 〈동명사 or 동명사〉 등의 구조가 되어야 한다.

❷ 문장이 길어질 경우, 해석을 통해서 알맞은 짝을 찾아야 한다.

다음 중 알맞은 것을 고르시오.

Words & Phrases

throughout
~내내, 도처에

symbolic
상징적인

process
과정

imprint
각인시키다

knowledge
지식

conflict
갈등

unavoidable
피할 수 없는

similar
유사한

compare
비교하다

judge
판단하다

emotional
감정적인

development
발전, 발달

01 Throughout much of the world, bread is important not only as food, but also as │ a symbol / symbolic │.

02 The process of putting pen to paper seems to imprint knowledge on the brain in a better way than │ use / using │ a keyboard.

03 Conflict is not only unavoidable but │ crucial / crucially │ for the long-term success of the relationship.

04 Students can read a science fiction text and a nonfiction text covering similar ideas and │ compare / comparing │ the two.

05 When you first meet someone, try to spend more time listening than │ to talk / talking │ about yourself.

06 A daily record book will help you not only to judge whether you have a bright child but also │ watching / to watch │ his or her emotional development.

[01 - 06] 빈칸에 알맞은 말을 넣으시오.

01

┌ not only A but also B ┐

Throughout much of the world, / bread is important / **not only as food,** / **but also as a**

_____ . · 세상의 많은 곳에서 / 빵은 중요하다 / 음식으로서 뿐만 아니라 / 상징으로서

해석 세상의 많은 곳에서 빵은 음식으로서 뿐만 아니라, 상징으로서 중요하다.

해설 not only A but also B (A뿐만 아니라 B도 역시) 구문으로 A와 B가 병렬구조이다. 명사 food와 병렬구조를 보여야 하므로 명사인 symbol이 적절하다.

02

S　　　　　　　　　　　　　　　　　　V

[The process / of putting pen to paper] / seems to imprint knowledge / on the brain / in

a better way / than _____ a keyboard.

과정은 / 펜을 종이에 올리는(글을 쓰는) / 지식을 각인하는 것 같다 / 뇌에 / 더 나은 방식으로 / 키보드를 사용하는 것보다

해석 종이에 직접 글을 쓰는 과정이 키보드를 사용하는 것보다 더 나은 방식으로 지식을 뇌에 각인시키는 것 같아 보인다.

해설 내용상 putting pen to paper와 using a keyboard를 비교하고 있으니 이 둘은 병렬구조이다. 따라서 동명사 putting 과 병렬구조를 이루므로 같은 동명사 using이 적절하다.

03

┌ not only A but also B ┐

Conflict is **not only unavoidable** / but _____ / for the long-term success of the

relationship. 갈등은 피할 수 없을 뿐만 아니라 / 중요하다 / 관계에 있어서의 장기간의 성공을 위해서

해석 갈등은 피할 수 없을뿐더러, 관계에 있어서의 장기간의 성공을 위해서도 중요하다.

해설 not only A but also B 구조이다. 형용사 unavoidable과 병렬구조를 이루므로 형용사 crucial이 와야 한다.

04

S　　　　V

Students can **read** / a science fiction text and a nonfiction text / **covering similar ideas** /

and _____ the two. 학생들은 읽을 수 있다 / 과학소설의 글과 비소설 글을 / 비슷한 생각을 다루는 / 그리고 그 둘을 비교할 수 있다

해석 학생들은 비슷한 생각을 다루는 과학소설과 비소설 글을 읽을 수 있고, 그 둘을 비교할 수 있다.

해설 A and B의 문장구조로, 조동사 can 다음의 동사 read와 병렬구조를 이루므로 동사 compare가 적절하다.

05

V → 명령문　　　　　　　　　　　　병렬구조

When you first meet someone, / try to spend more time / **listening** / than _____

about yourself. 여러분이 누군가를 처음 만날 때 / 더 많은 시간을 쓰도록 노력해라 / 듣는 데 / 여러분 자신에 대해서 말하는 것보다

해석 여러분이 누군가는 처음 만날 때, 여러분 자신에 대해서 말하는 것보다 듣는 데 더 많은 시간을 쓰도록 노력해라.

해설 A than B의 문장구조, 동명사 listening과 병렬구조를 이루므로 동명사 talking이 와야한다.

06

병렬구조

A daily record book / will help / you / **not only to judge** whether you have a bright child

/ **but also** _____ his or her emotional development.

매일 적는 기록 책은 / 도울 것이다 / 당신이 / 당신의 아이가 똑똑한지 / 판단하는 데뿐만 아니라 / 그 아이의 감정적 발달을 보는 데에도

해석 매일 적는 기록 책은 당신의 아이가 똑똑한지 판단하는 일뿐만 아니라 아이의 감정 발달을 관찰하는 일에도 보탬이 될 것이다.

해설 not only A but also B의 구문으로, to judge와 병렬구조를 이루므로 to부정사 to watch가 와야 한다.

비교급의 병렬구조

> 두 개의 비교 대상이 Mercury와 the Earth가 아닌 각각의 orbital velocity(공전 속도)이므로 the Earth's가 와야 한다.

Mercury's orbital velocity / is much greater / than **the Earth's**.

the Earth (X) ←

수성의 공전 속도는 / 더 크다 / 지구의 것보다

⋯→ 수성의 공전 속도는 지구의 속도보다 더 크다.

Grammar Point

❶ 비교급의 병렬구조는 다른 병렬구조처럼 동일한 문법 구조의 대상끼리 가능하다.

❷ 비교의 '급'이 비슷해야 한다.

다음 중 알맞은 것을 고르시오.

Words & Phrases

Mercury
수성

velocity
속도

amount
양

export
수출

victim
희생자

skin
피부

fossil fuel
화석연료

renewables
재생연료

gap
차이

primary school
초등학교

01 The amount of exports in 2016 was twice as much as 2015 / that in 2015 .

02 Saying something aloud creates a more powerful memory than only to think / thinking it.

03 Should the wishes of the victims' family be more important than the victims / those of the victims ?

04 They found that smokers' skin was 25% thinner than nonsmokers / nonsmokers' .

05 The percentage of fossil fuels is the largest, which is about four times as high as renewables / that of renewables .

06 In secondary schools, the percentage gap between male and female teachers was larger than primary schools / that in primary schools .

[01 – 06] 빈칸에 알맞은 말을 넣으시오.

01

       S   V   the amount of exports

[The amount of exports in 2016] / was twice as much as /   in 2015.

2016년의 수출 총액은 / 두 배였다 / 2015년의 그것(총액)보다

해석 2016년의 수출 총액은 2015년의 수출 총액보다 2배 정도 많았다.

해설 비교의 대상이 2016년의 수출 총액과 2015년의 수출 총액이므로 '총액'에 해당하는 대명사 that이 와야 한다.

02

     S   병렬구조

[Saying something aloud] / creates a more powerful memory / than only   it.

무언가를 크게 말하는 것은 / 더 강력한 기억을 만든다 / 단순히 그것을 생각하는 것보다

해석 무언가를 크게 말하는 것은 단순히 그것을 생각하는 것보다 더 강력한 기억을 만든다.

해설 내용상 크게 말하는 것(saying)과 단순히 생각하는 것(thinking)을 비교하는 병렬구조로 thinking이 와야 한다.

03

                                       the wishes

Should the wishes of the victims' family / be more important / than   of the

victims? 피해자들의 가족의 소원들이 / 더 중요할까 / 피해자들의 그것들(소원들)보다

해석 피해자 가족의 소원들이 피해자 본인의 소원들보다 더 중요해야만 할까?

해설 비교의 대상이 피해자 가족들의 소원들과 피해자의 소원들이므로 '소원들'을 의미하는 those가 와야 한다.

04

                                   nonsmokers' skin

They found / that smokers' skin / was 25% thinner / than   .

그들은 발견했다 / 흡연자들의 피부가 / 25% 더 얇다고 / 비흡연자들의 것보다

해석 그들은 흡연자들의 피부가 비흡연자들의 피부보다 25% 더 얇다는 것을 발견했다.

해설 비교의 대상이 흡연자와 비흡연자가 아니라, 흡연자의 피부와 비흡연자의 피부이므로 nonsmokers'(비흡연자의 것)가 와야 한다.

05

       S   V

[The percentage / of fossil fuels] / is the largest, / which is about four times as high as /

          of renewables. 비율은 / 화석연료의 / 가장 크다 / 그리고 이것은 4배가량 더 높다 / 재생에너지의 그것(비율)보다

   the percentage

해석 화석연료의 비율이 가장 크며, 이는 재생에너지의 비율보다 4배가량 더 높다.

해설 비교의 대상이 화석연료의 비율과 재생에너지의 비율이므로 '비율'에 해당하는 that이 와야 한다.

06

                                S   V

In secondary schools, / [the percentage gap between male and female teachers] / was

larger than /   in primary schools. 중등학교에서 / 남교사와 여교사의 비율 차이는 / 더 크다 / 초등학교의 그것(비

율 차이)보다   the percentage gap

해석 중등학교에서 남교사와 여교사의 비율 차이는 초등학교에서의 비율 차이보다 더 컸다.

해설 비교의 대상이 비율 차이(the percentage gap)이므로 이에 해당하는 that이 와야 한다.

from A to B 병렬구조

〈from A to B〉 구조인데, to 역시 전치사이므로 동명사가 온다.

I have many things to do, / **from taking** care of the
babies / **to preparing** meals.

↳ to prepare(X)   나는 해야 할 일이 많다 / 아기들을 돌보는 것부터 / 식사를 준비하는 것까지

⋯ 나는 아기들을 돌보는 것부터 식사를 준비하는 것까지 할 일이 많다.

Grammar Point

❶ 'from A to B' 구조도 역시 병렬구조이다. A와 B의 성격이 동일해야 한다.

❷ 여기에서는 to 역시 from과 마찬가지로 전치사이므로 동명사가 와야 한다.

다음 중 알맞은 것을 고르시오.

Words & Phrases

chore
집안일

letter
문자

excitement
흥분

shift
변하다

please
즐겁게 하다

forage
수렵활동하다

psychological
심리학적인

physical
신체적인

pressure
압력

customer
고객

sue
고소하다

01 You did a lot of chores, from doing the dishes to clean / cleaning up
the rooms.

02 You should learn everything, from grabbing a pencil to write / writing
a letter.

03 The focus of her excitement shifts from enjoying learning itself to
please / pleasing you.

04 Some societies actually were experiencing a variety of activities, from
foraging to farm / farming .

05 All children go from having psychological characters to have / having
physical ones around age six.

06 Companies need to respond to the pressure because customers
are voicing their concerns in every way, from boycotting stores to
sue / suing companies.

[01 – 06] 빈칸에 알맞은 말을 넣으시오.

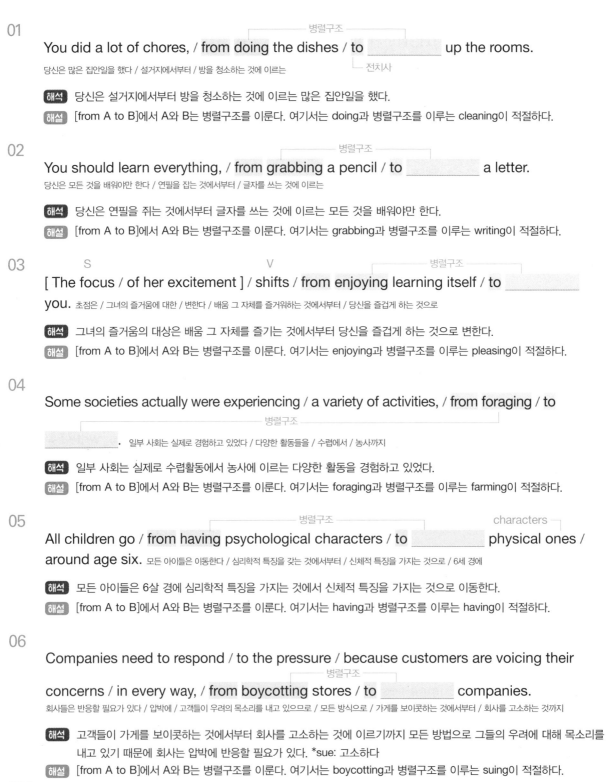

01

병렬구조

You did a lot of chores, / from doing the dishes / to _____ up the rooms.

전치사

당신은 많은 집안일을 했다 / 설거지에서부터 / 방을 청소하는 것에 이르는

해석 당신은 설거지에서부터 방을 청소하는 것에 이르는 많은 집안일을 했다.

해설 [from A to B]에서 A와 B는 병렬구조를 이룬다. 여기서는 doing과 병렬구조를 이루는 cleaning이 적절하다.

02

병렬구조

You should learn everything, / from grabbing a pencil / to _____ a letter.

당신은 모든 것을 배워야만 한다 / 연필을 잡는 것에서부터 / 글자를 쓰는 것에 이르는

해석 당신은 연필을 쥐는 것에서부터 글자를 쓰는 것에 이르는 모든 것을 배워야만 한다.

해설 [from A to B]에서 A와 B는 병렬구조를 이룬다. 여기서는 grabbing과 병렬구조를 이루는 writing이 적절하다.

03

S   V   병렬구조

[The focus / of her excitement] / shifts / from enjoying learning itself / to _____

you. 초점은 / 그녀의 즐거움에 대한 / 변한다 / 배움 그 자체를 즐거워하는 것에서부터 / 당신을 즐겁게 하는 것으로

해석 그녀의 즐거움의 대상은 배움 그 자체를 즐기는 것에서부터 당신을 즐겁게 하는 것으로 변한다.

해설 [from A to B]에서 A와 B는 병렬구조를 이룬다. 여기서는 enjoying과 병렬구조를 이루는 pleasing이 적절하다.

04

Some societies actually were experiencing / a variety of activities, / from foraging / to

병렬구조

_____ . 일부 사회는 실제로 경험하고 있었다 / 다양한 활동들을 / 수렵에서 / 농사까지

해석 일부 사회는 실제로 수렵활동에서 농사에 이르는 다양한 활동을 경험하고 있었다.

해설 [from A to B]에서 A와 B는 병렬구조를 이룬다. 여기서는 foraging과 병렬구조를 이루는 farming이 적절하다.

05

병렬구조   characters

All children go / from having psychological characters / to _____ physical ones /

around age six. 모든 아이들은 이동한다 / 심리학적 특징을 갖는 것에서부터 / 신체적 특징을 가지는 것으로 / 6세 경에

해석 모든 아이들은 6살 경에 심리학적 특징을 가지는 것에서 신체적 특징을 가지는 것으로 이동한다.

해설 [from A to B]에서 A와 B는 병렬구조를 이룬다. 여기서는 having과 병렬구조를 이루는 having이 적절하다.

06

Companies need to respond / to the pressure / because customers are voicing their

병렬구조

concerns / in every way, / from boycotting stores / to _____ companies.

회사들은 반응할 필요가 있다 / 압박에 / 고객들이 우려의 목소리를 내고 있으므로 / 모든 방식으로 / 가게를 보이콧하는 것에서부터 / 회사를 고소하는 것까지

해석 고객들이 가게를 보이콧하는 것에서부터 회사를 고소하는 것에 이르기까지 모든 방법으로 그들의 우려에 대해 목소리를 내고 있기 때문에 회사는 압박에 반응할 필요가 있다. *sue: 고소하다

해설 [from A to B]에서 A와 B는 병렬구조를 이룬다. 여기서는 boycotting과 병렬구조를 이루는 suing이 적절하다.

Point (142-144) Review

p.32

[01 – 10] 다음 중 알맞은 것을 고르시오.

01   Julie likes to not only play the violin but also dance / dances .

02   I hope they think systematically and serious / seriously about this issue.

03   The rate of biofuels is 0.6 percent, which is as big as nuclear energy / that of nuclear energy .

04   We have a variety of ways to solve this problem, from detecting what is wrong to remove / removing the cause.

05   Right after finishing his program and receiving / received his degree, Martin moved to Boulder, Colorado.

06   The material they choose to publish must not only have commercial value, but to be / be very competently written and free of editing and factual errors.

07   There is none who forces you to finish your work and get / gets up on time.

08   The percentage of boys who like video games is even higher than that / those of girls.

09   Instead of becoming afraid of the lion and run / running away, he went close to it.

10   It's one of the keys to satisfying customers, maintaining a marriage, and raises / raising children.

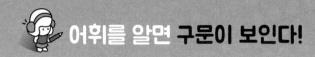
어휘를 알면 **구문이 보인다!**

체크! Words & Phrases

POINT 145

☐ absorbing	몰입하게 만드는
☐ put down	내려놓다
☐ offer	제공하다
☐ rather than	오히려 ~라기보다는
☐ call up	전화를 걸다
☐ carry out	수행하다
☐ hand in	제출하다
☐ as long as	~하는 한
☐ put back	제자리에 갖다 놓다

POINT 146

☐ outdoor	야외의
☐ lightweight	가벼운
☐ long-sleeved	긴 소매의
☐ metal	금속의
☐ section	부분
☐ cartoon	만화
☐ entertaining	재미있는
☐ influential	영향력 있는
☐ presentation	발표
☐ likely	~할 것 같은
☐ confidence	자신감

POINT 147

☐ disappear	사라지다
☐ awake	깨어있는
☐ positively	긍정적으로
☐ honest	정직한
☐ positively	긍정적으로

★ 모르는 단어에 체크하고, 소리 내어 10번만 뜻과 함께 말해 보세요.

[01 - 20] 다음 빈칸에 알맞은 우리말 뜻이나 단어를 쓰시오.

01 rather than _____

02 positively _____

03 outdoor _____

04 carry out _____

05 disappear _____

06 put down _____

07 offer _____

08 absorbing _____

09 presentation _____

10 hand in _____

11 깨어있는 _____

12 재미있는 _____

13 가벼운 _____

14 금속의 _____

15 ~할 것 같은 _____

16 ~하는 한 _____

17 제자리에 갖다 놓다 _____

18 전화를 걸다 _____

19 만화 _____

20 영향력 있는 _____

POINT 145 동사 + 대명사 + 부사(이어동사)

─── so ~ that 용법 ───

The book was **so** absorbing / **that** she could not **put it down**.

↳ put down it (X)

그 책은 너무 흡입력이 있어서 / 그녀가 그것을 내려놓을 수 없었다
⋯ 그 책은 너무 흡입력이 있어서, 그녀는 그 책을 내려놓을 수 없었다.

Grammar Point

❶ [동사+부사]로 구성된 동사구의 목적어로 대명사가 올 경우 [동사+대명사+부사]의 어순으로 쓴다.
❷ 목적어로 명사가 올 경우 부사 앞뒤에 놓일 수 있다.
 Put it on. (O) Put on it. (X)
 Put the hat on. (O) Put on the hat. (O)

Words & Phrases

absorbing
몰입하게 만드는

put down
내려놓다

offer
제공하다

rather than
오히려 ～라기보다는

call up
전화를 걸다

carry out
수행하다

allow
허용하다

hand in
제출하다

mind
꺼리다

as long as
～하는 한

put back
제자리에 갖다 놓다

다음 중 알맞은 것을 고르시오.

01 He bought a mask because of his cold, and put on it / put it on .

02 She offered to pick up him / pick him up on the southwest corner of 34th Street.

03 We will now e-mail someone a message, rather than call up him / call him up .

04 The students will carry out them / carry them out if they find the ideas interesting enough.

05 Would it be possible to allow him to do it over the weekend and hand in it / hand it in next Monday?

06 He doesn't mind if Jimmy looks at the magazines, as long as he puts them back / puts back them in the right place.

[01 – 06] 빈칸에 알맞은 말을 넣으시오.

01

┌ 동사+대명사+부사
He bought a mask / because of his cold, / and _____.

그는 마스크를 샀다 / 의의 감기 때문에 / 그리고 그것을 착용했다

해석 그는 감기 때문에 마스크를 샀고, 그것을 착용했다.

해설 [동사+대명사+부사](이어동사)이므로 대명사는 동사와 부사 사이에 들어가야 하므로 put it on이 적절하다.

02

┌ 동사+대명사+부사
She offered / to _____ / on the southwest corner of 34th Street.

그녀는 제안했다 / 그를 태우러 갈 것을 / 34번가의 남서쪽 모퉁이에서

해석 그녀는 34번가의 남서쪽 모퉁이에서 그를 태우러 갈 것을 제안했다. * pick up: 태워주다

해설 [동사+대명사+부사](이어동사)이므로 대명사는 동사와 부사 사이에 들어가야 하므로 pick him up이 적절하다.

03

┌ 동사+대명사+부사
We will now e-mail someone a message, / rather than _____.

우리는 지금 누군가에게 메시지를 이메일로 보낼 것이다 / 그에게 전화하기보다는

해석 우리는 전화를 하기보다는 누군가에게 메시지를 이메일로 보낼 것이다. * call up: (전화로) 연락하다, 부르다

해설 [동사+대명사+부사](이어동사)이므로 대명사는 동사와 부사 사이에 들어가야 하므로 call him up이 적절하다.

04

┌ 동사+대명사+부사
The students will _____ / if they find / the ideas interesting enough.

학생들은 그것들을 수행할 것이다 / 만약 그들이 깨닫는다면 / 그 생각이 충분히 재미있다는 것을

해석 학생들은 그 생각이 충분히 재미있다는 것을 깨닫는다면, 그것들을 수행할 것이다. * carry out: 수행하다

해설 [동사+대명사+부사](이어동사)이므로 대명사는 동사와 부사 사이에 들어가야 하므로 carry them out이 적절하다.

05

┌ 가주어   ┌ 진주어   ┌ 동사+대명사+부사
Would it be possible / to allow / him / to do it / over the weekend / and _____

next Monday? 가능할까 / 허용하는 것이 / 그가 / 그것을 하는 걸 / 주말 동안에 / 그리고 다음 주 월요일에 그것을 제출하는 걸

해석 그가 그것을 주말 동안 하고, 다음 월요일에 그것을 제출하도록 허용하는 것이 가능할까? * hand in: 제출하다

해설 [동사+대명사+부사](이어동사)이므로 대명사는 동사와 부사 사이에 들어가야 하므로 hand it in이 적절하다.

06

┌ 동사+대명사+부사
He doesn't mind / if Jimmy looks at the magazines, / as long as he _____

/ in the right place. 그는 신경 쓰지 않는다 / 지미가 잡지를 보든 안 보든 / 그가 그것들을 되돌려 놓는 한 / 올바른 장소에

해석 그는 지미가 잡지들을 올바른 장소에 가져다 놓는 한, 그가 잡지를 보든 안 보든 신경 쓰지 않는다.

해설 [동사+대명사+부사](이어동사)이므로 대명사는 동사와 부사 사이에 들어가야 하므로 puts them back이 적절하다.

명령문

명령문이므로 동사원형이 나온다.

When your child is doing outdoor activities, / **dress**

dressing, to dress (X)

him / in long pants and a lightweight long-sleeved shirt.

여러분의 아이가 야외활동을 할 때 / 그에게 입혀라 / 긴 바지와 가벼운 긴팔 셔츠를

⋯ 당신의 아이가 야외활동을 하고 있을 때, 그 아이에게 긴 바지와 가벼운 긴팔 셔츠를 입히도록 해라.

Grammar Point

❶ 명령문은 동사원형으로 시작한다.

❷ 동명사나 분사, to부정사와 구별하여 해석 및 형태에 주의한다.

Words & Phrases

outdoor
야외의

lightweight
가벼운

long-sleeved
긴 소매의

bright
밝은

metal
금속의

ride
타다

section
부분

cartoon
만화

entertaining
재미있는

influential
영향력 있는

presentation
발표

likely
~할 것 같은

confidence
자신감

다음 중 알맞은 것을 고르시오.

01 Place / To place the bottle on a building's metal roof in full sunlight.

02 Remember / To remember to wear bright clothes when you ride so that drivers and walkers can see you easily.

03 When someone has helped you, but perhaps not done all that you requested, focus / focusing on what the person has done.

04 When you read the comics section of the newspaper, cut / cutting out a cartoon that makes you laugh.

05 Throw / Throwing pictures into your talks, and you will be more entertaining and more influential.

06 If you are afraid of a work presentation, try / trying to avoid your anxiety will likely reduce your confidence.

[01 – 06] 빈칸에 알맞은 말을 넣으시오.

01

┌ V → 명령문

_____ the bottle / on a building's metal roof / in full sunlight.

그 병을 놓아라 / 건물의 철제 지붕 위에 / 햇살이 그득한

해석 그 병을 햇살이 그득한 건물의 철제 지붕 위에 놓아라.

해설 문장의 본동사가 필요하므로 명령문을 의미하는 동사원형 Place가 적절하다.

02

┌ V → 명령문

_____ to wear bright clothes / when you ride / so that drivers and walkers / can see
you easily. 밝은 색 옷을 입을 것을 기억해라 / 당신이 자전거를 탈 때 / 운전자와 행인들이 / 당신을 쉽게 볼 수 있도록

해석 당신이 자전거를 탈 때, 운전자와 행인들이 당신을 쉽게 볼 수 있도록 밝은 색 옷을 입는 것을 기억해라.

해설 문장의 본동사가 필요하므로 명령문을 의미하는 동사원형 Remember가 적절하다.

03

┌ V → 명령문

When someone has helped you, / but perhaps not done all that you requested, /
_____ on / what the person has done.

누군가가 당신을 도왔을 때 / 하지만 당신이 요청한 것을 전부 하지는 않았을 때, / 집중해라 / 그 사람이 했던 것에

해석 누군가가 당신이 요청한 것을 다해준 것은 아니지만 당신을 도왔을 때, 그 사람이 했던 것에 집중해라.

해설 문장의 본동사가 필요하므로 명령문을 의미하는 동사원형 focus가 적절하다.

04

V → 명령문

When you read / the comics section of the newspaper, _____ out a cartoon / that
makes you laugh. 당신이 읽을 때 / 신문의 만화란을 / 만화를 잘라내라 / 당신을 웃게 만드는

해석 당신이 신문의 만화란을 읽을 때, 당신을 웃게 만드는 만화를 잘라 내라.

해설 문장의 본동사가 필요하므로 명령문을 의미하는 동사원형 cut이 적절하다.

05

┌ V → 명령문   ┌ 명령문+and: ~ 해라. 그러면 ~

_____ pictures into your talks, / and you will be / more entertaining and more
influential. 그림을 당신의 대화 속에 추가해라 / 그러면 당신은 될 것이다 / 더욱 재미나고 / 더욱 영향력이 있게

해석 당신의 대화 속에 그림을 추가해라. 그러면 당신은 더욱 재미있어지고, 영향력을 행사하게 될 것이다.

해설 문장의 본동사가 필요하므로 명령문을 의미하는 동사원형 Throw가 적절하다.

06

S   V

If you are afraid of / a work presentation, [_____ to avoid your anxiety] / will likely
reduce your confidence.

당신이 두렵다면 / 업무 발표를 / 당신의 걱정을 회피하려고 하는 것은 / 당신의 자신감을 줄이게 될 것이다

해석 당신이 업무 발표를 두려워한다면, 당신의 두려움을 회피하려고 노력하는 것은 당신의 자신감을 줄이게 될 것이다.

해설 뒤에 동사 will reduce가 나오므로 주어가 필요하다. 따라서 동명사 trying이 적절하다.

명령문 + and / or

→ 명령문+and: 방에 머무르면 냄새가 사라지는 것처럼 느낀다는 내용이므로 and가 적합하다

Stay in the room / for a few minutes, / **and** the smell
will seem to disappear.

↳ or (X)

그 방에 머물러라 / 몇 분 동안 / 그러면 그 냄새는 사라지는 것처럼 느껴질 것이다
… 몇 분 동안 그 방에 머물러라. 그러면 그 냄새는 사라지는 것처럼 느껴질 것이다.

Grammar Point

❶ 명령문,+and: ~해라. 그러면
❷ 명령문,+or: ~해라. 그렇지 않으면

다음 중 알맞은 것을 고르시오.

01 Be kind to others, | and / or | they will like you.

02 Help your friend, | and / or | he will lose a lot of money.

03 Be awake in class, | and / or | your teacher will get angry.

04 Please listen to my advice, | and / or | we will win this game.

05 Think positively, | and / or | you will be able to do anything you want to do.

06 Be honest with everyone around you, | and / or | they will understand and be with you.

Words & Phrases

disappear
사라지다

awake
깨어있는

positively
긍정적으로

honest
정직한

positively
긍정적으로

[01 – 06] 빈칸에 알맞은 말을 넣으시오.

01
┌─ 명령문+and: ~ 해라 그러면 ─┐
Be kind to others, / _____ they will like you.
다른 사람들에게 친절해라 / 그러면 그들은 당신을 좋아할 것이다

해석 다른 사람들에게 친절해라. 그러면 그들은 당신을 좋아할 것이다.

해설 '친절한 것'과 '당신을 좋아하게 되는 것'은 상관관계가 있으므로 '그러면'을 의미하는 and가 적절하다.

02
┌─ 명령문+or: ~ 해라 그렇지 않으면 ─┐
Help your friend, / _____ he will lose a lot of money.
너의 친구를 도와라 / 그렇지 않으면 그는 많은 돈을 잃을 것이다

해석 너의 친구를 도와라. 그렇지 않으면 그는 많은 돈을 잃을 것이다.

해설 '친구를 돕는 것'과 '돈을 잃는 것'은 서로 상충되므로 '그렇지 않으면'을 의미하는 or가 적절하다.

03
┌─ 명령문+or: ~ 해라 그렇지 않으면 ─┐
Be awake in class, / _____ your teacher will get angry.
수업 중 깨어 있어라 / 그렇지 않으면 당신의 선생님은 화가 날 것이다

해석 수업 중 깨어 있어라. 그렇지 않으면 선생님은 화가 날 것이다.

해설 '수업 중 깨어 있는 것'과 '선생님이 화가 나는 것'은 서로 상충되므로 '그렇지 않으면'을 의미하는 or가 적절하다.

04
┌───── 명령문+and: ~ 해라 그러면 ─────┐
Please listen to my advice, / _____ we will win / this game.
제발 내 조언을 들어라 / 그러면 우리는 승리할 것이다 / 이번 경기에서

해석 제발 내 조언을 들어라. 그러면 우리는 이번 경기에서 승리할 것이다.

해설 '조언을 듣는 것'과 '승리하는 것'은 상관관계가 있으므로 '그러면'을 의미하는 and가 적절하다.

05
┌─ 명령문+and: ~ 해라 그러면 ─┐
Think positively, / _____ you will be able to do anything / you want to do.
긍정적으로 생각해라 / 그러면 여러분은 무엇이든 할 수 있을 것이다 / 여러분이 하고 싶어 하는

해석 긍정적으로 생각해라. 그러면 여러분은 여러분이 하고 싶어 하는 그 무엇도 할 수 있게 될 것이다.

해설 '긍정적으로 생각하는 것'과 '무엇이든 할 수 있는 것'은 상관관계가 있으므로 '그러면'을 의미하는 and가 적절하다.

06
┌─ 명령문+and: ~ 해라 그러면 ─┐
Be honest / with everyone around you, / _____ they will understand / and be with you.
정직해라 / 당신 주변에 있는 모든 사람들에게 / 그러면 그들은 이해할 것이다 / 그리고 당신 곁에 있을 것이다

해석 당신 주변에 있는 모든 사람들에게 정직해라. 그러면 그들은 당신을 이해하고, 당신 곁에 있을 것이다.

해설 '정직한 것'과 '사람들이 당신을 이해하는 것'은 상관관계가 있으므로 '그러면'을 의미하는 and가 적절하다.

Point (145-147) Review

[01–10] 다음 중 알맞은 것을 고르시오.

01 Instead of focusing on the end result, think / to think about behavior you have to change to reach the goal.

02 Don't go to the party and study hard, and / or you will not pass the exam.

03 When the manager requested a lot of money for the project, the boss cut down it / cut it down .

04 If guests are discussing how much they should eat during dinner, serve / serving them a reasonable amount.

05 Be / Being imaginative gives us feelings of happiness and adds excitement to our lives.

06 Julie called him ten times, but he didn't pick up it / pick it up .

07 Take / Taking your comics with you when you go to visit sick friends who can really use a good laugh.

08 Don't be late again, and / or you will not be punished again.

09 Tommy wanted me on the basketball team, but I turned down him / turned him down .

10 See / To see whether there are other options which are less expensive or more specific to your needs.

 어휘를 알면 **구문이 보인다!**

체크! Words & Phrases

POINT **148**

☐ rarely	거의 ~하지 않다
☐ still	정지된
☐ trouble	문제
☐ various	다양한
☐ reach	~에 도달하다
☐ method	방법
☐ hardly	거의 ~아니다
☐ at present	현재는, 지금은
☐ definite	명확한
☐ understand	이해하다
☐ mobile phone	휴대전화

POINT **149**

☐ journey	여행, 여정
☐ explore	탐험하다
☐ get to know	알게 되다
☐ be likely to	~할 것 같다
☐ comfortable	편안한
☐ reporter	기자
☐ retire	은퇴하다
☐ a sort of	~의 종류
☐ tell	(정확히) 알다, 판단하다
☐ include	포함하다
☐ decision-making	의사결정
☐ even	~조차도, ~이라도

POINT **150**

☐ spicy	양념 맛이 강한
☐ semester	학기

★ 모르는 단어에 체크하고, 소리 내어 10번만 뜻과 함께 말해 보세요.

[01-20] 다음 빈칸에 알맞은 우리말 뜻이나 단어를 쓰시오.

01 journey   _____

02 rarely   _____

03 various   _____

04 method   _____

05 retire   _____

06 a sort of   _____

07 include   _____

08 spicy   _____

09 get to know   _____

10 be likely to   _____

11 의사결정   _____

12 현재는, 지금은   _____

13 문제   _____

14 정지된   _____

15 명확한   _____

16 학기   _____

17 휴대 전화   _____

18 ~에 도달하다   _____

19 편안한   _____

20 탐험하다   _____

148 이중부정

→ 부정어 **rarely** 가 있으므로 **nothing** 은 오지 못함

They realized / that the eye **rarely** sees **anything** / that

is perfectly still.

nothing (X)

그들은 깨달았다 / 눈은 어떠한 것도 거의 보지 못한다는 것을 / 완벽하게 정지되어있는

···→ 눈은 정지되어 있는 어떠한 것도 거의 보지 못한다는 것을 그들은 깨달았다.

Grammar Point

❶ 영어에서는 이중부정은 금지된다.

❷ 한 문장 안에서 두 개의 부정어를 쓰지 못한다.

> not, never, nor, neither, nothing, none, nobody,
> hardly, scarcely, barely

Words & Phrases

rarely
거의 ~하지 않다

still
정지된

trouble
문제

various
다양한

reach
~에 도달하다

method
방법

hardly
거의 ~아니다

at present
현재는, 지금은

definite
명확한

understand
이해하다

mobile phone
휴대전화

🔍 다음 중 알맞은 것을 고르시오.

01 I will not take her on my shopping trips ｜any / no｜ more.

02 I ｜had / hadn't｜ hardly reached there when it began to rain.

03 None of the doctors ｜were / were not｜ sure what the trouble was.

04 Various methods for it ｜have / haven't｜ hardly changed the situation at all.

05 At present I cannot say ｜nothing / anything｜ definite about it. Please understand me.

06 My grandmother doesn't know ｜anything / nothing｜ about computers and mobile phones.

[01-06] 빈칸에 알맞은 말을 넣으시오.

01

부정어 존재   부정어 X

I will **not** take her / on my shopping trips / _____ more.

나는 그녀를 데려가지 않을 것이다 / 내 쇼핑 여행에 / 더 이상

해석 나는 더 이상 그녀를 내 쇼핑 여행에 데리고 가지 않을 것이다.

해설 앞에 이미 부정어(not)가 있으므로 또 하나의 부정어(no)를 쓸 수 없기 때문에 any가 적절하다.

02

* had hardly ~ when …: ~하자마자 … 하다

I _____ **hardly** reached there / when it began to rain.

내가 거기에 도착하자마자 / 비가 내리기 시작했다

해석 내가 거기에 도착하자마자 비가 오기 시작했다.

해설 뒤에 이미 부정어(hardly)가 있으므로 또 하나의 부정어(hadn't)를 쓸 수 없기 때문에 had가 적절하다.

03

부정어 존재   부정어 X

None of the doctors / _____ sure / what the trouble was.

의사 중 어느 누구도 / 확신하지 못했다 / 문제가 무엇인지

해석 의사 중 어느 누구도 문제가 무엇인지 확신하지 못했다.

해설 앞에 이미 부정어(none)가 있으므로 또 하나의 부정어(were not)를 쓸 수 없기 때문에 were가 적절하다.

04

S   V   부정어 존재

[Various methods / for it] / _____ **hardly** changed the situation at all.

다양한 방법들이 / 그것을 위한 / 거의 상황을 바꾸지 못했다

해석 그것을 위한 다양한 방법들이 상황을 전혀 바꾸지 못했다.

해설 뒤에 이미 부정어(hardly)가 있으므로 또 하나의 부정어(haven't)를 쓸 수 없기 때문에 have가 적절하다.

05

부정어 존재   부정어 X

At present / I **cannot** say / _____ definite / about it. / Please understand me.

현재 / 나는 말할 수 없다 / 명확한 무언가를 / 그것에 대한 / 제발 나를 이해해라

해석 현재 나는 그것에 대한 명확한 무언가를 말할 수 없다. 제발 나를 이해해라.

해설 앞에 이미 부정어(cannot)가 있으므로 또 하나의 부정어(nothing)를 쓸 수 없기 때문에 anything이 적절하다.

06

부정어 존재   부정어 X

My grandmother **doesn't** know _____ / about computers and mobile phones.

할머니는 어떠한 것도 알지 못한다 / 컴퓨터와 휴대폰에 대한

해석 할머니는 컴퓨터와 휴대전화에 대한 어떠한 것도 알지 못한다.

해설 앞에 이미 부정어(doesn't)가 있으므로 또 하나의 부정어(nothing)를 쓸 수 없기 때문에 anything이 적절하다.

간접의문문

That is just part / of the whole journey of exploring /

> 간접의문문이므로 어순은 '의문사+주어+동사' 이어야 한다.

who they are, / getting to know them.

who are they(X)

그것은 단지 일부분이다 / 탐구라는 전체 여정의 / 그들이 누구인지를 / 그리고 그들을 알아가게 된다

⋯ 그것은 그들이 누구인지를 탐구하고 그들을 알아가게 되는 전체 여정의 단지 일부분이다.

Grammar Point

❶ 간접의문문의 어순: 의문사+주어+동사
❷ 간접의문문은 의문문과 평서문의 차이가 아니라 문장 중간에 들어가느냐의 차이이다.

Words & Phrases

journey
여행, 여정

explore
탐험하다

get to know
알게 되다

be likely to
~할 것 같다

comfortable
편안한

reporter
기자, 리포터

retire
은퇴하다

a sort of
~의 종류

tell
(정확히) 알다, 판단하다

include
포함하다

decision-making
의사결정

even
~조차도, ~이라도

다음 중 알맞은 것을 고르시오.

01 They are also likely to be more comfortable with │ who are they / who they are │.

02 A reporter stopped the player and asked why │ he was / was he │ retiring.

03 I could see he was looking at a sort of bird, but I could not tell what kind of bird │ it was / was it │.

04 Include them in the decision-making process of │ what are you / what you are │ thinking of making for dinner.

05 After reading a book, you should keep asking yourself │ what you learned from it / what did you learn from it │.

06 Children are given all kinds of toy bears even before they know │ what a bear is / what is a bear │.

[01 – 06] 빈칸에 알맞은 말을 넣으시오.

01

S V

They are also likely to / be more comfortable / with _____. ┌ 간접의문문 [의문사+주어+동사]

그들은 또한 ~하는 경향이 있다 / 보다 편안해지는 / 그들이 누구인지에 대해서

해석 그들은 또한 그들이 누구인지에 대해서 더 편안해지는 경향이 있다.

해설 간접의문문은 [의문사+주어+동사]의 어순을 가지므로 who they are가 적절하다.

02

A reporter stopped the player / and asked / why _____ retiring. ┌ 간접의문문 [의문사+주어+동사]

기자가 그 선수를 멈춰 세웠고 / 그리고 물었다 / 왜 그가 은퇴하는지

해석 기자는 그 선수를 멈춰 세웠고 그가 왜 은퇴하려고 하는지 물었다.

해설 간접의문문은 [의문사+주어+동사]의 어순을 가지므로 he was가 적절하다.

03

I could see / he was looking at a sort of bird, / but I could not tell / what kind of bird 간접의문문 [의문사+주어+동사] ┐

_____.

나는 알 수 있었다 / 그가 한 종류의 새를 바라보고 있다는 것을 / 하지만, 나는 구분할 수 없었다 / 그것이 어떤 종류의 새인지를

해석 나는 그가 한 종류의 새를 바라보고 있다는 것을 알 수 있었다. 하지만 나는 그것이 어떤 새인지를 알 수 없었다.

해설 간접의문문은 [의문사+주어+동사]의 어순을 가지므로 it was가 적절하다.

04

Include them / in the decision-making process of / _____ thinking of / 간접의문문 [의문사+주어+동사]

/ making for dinner.

그들을 포함해라 / 의사결정 과정에서 / 당신이 생각하고 있는 것이 / 저녁식사를 위해 만들려고

해석 당신이 저녁식사를 위해 만들려고 생각하는 것이 무엇인지에 대한 의사결정에 그들을 포함시켜라.

해설 간접의문문은 [의문사+주어+동사]의 어순을 가지므로 what you are가 적절하다.

05

접속사+분사   keep -ing: 계속 ~하다   간접의문문 [의문사+주어+동사]

After reading a book, / you should keep asking yourself / _____ from it.

책을 읽은 이후에 / 여러분은 스스로에게 계속 물어봐야 한다 / 그것으로부터 무엇을 배웠는지

해석 책을 읽은 후에 여러분은 그것으로부터 무엇을 배웠는지를 스스로에게 계속 물어봐야만 한다.

해설 간접의문문은 [의문사+주어+동사]의 어순을 가지므로 what you learned가 적절하다.

06

Children are given / all kinds of toy bears / even before they know / _____. 간접의문문 [의문사+주어+동사] ┐

아이들은 받는다 / 모든 종류의 장난감 곰을 / 심지어 그들이 알기 전에도 / 곰이 무엇인지를

해석 아이들은 심지어 곰이 무엇인지 알기도 전에 모든 종류의 장난감 곰을 받는다.

해설 간접의문문은 [의문사+주어+동사]의 어순을 가지므로 what a bear is가 적절하다.

POINT 150 부가의문문

앞이 부정문이고 조동사 do가 사용되었으니, 부가의문문은 긍정형 do동사를 사용한다.

Your students **don't like** spicy and hot food, / **do they**?

don't, aren't (X)

명사는 대명사로 변경, your students(x)

당신의 학생들은 자극적이고 매운 음식을 좋아하지 않아요 / 그렇죠?

⋯→ 당신의 학생들은 자극적이고 매운 음식을 좋아하지 않아요, 그렇죠?

Grammar Point

❶ 확인의 의미로 사용되는 의문문

❷ 앞이 긍정문이면 부정문으로, 앞이 부정문이면 긍정문으로 바꾼다.

❸ be동사 → be동사 / 일반동사 → do동사 / 조동사 → 조동사(완료조동사 have포함)

❹ 명령문 → will you? / 권유문 → shall we?

🔍 다음 중 알맞은 것을 고르시오.

01 Mrs. Brown was surprised by the news, wasn't she / isn't she ?

02 Let's take a look at the window again, shall we / don't we ?

Words & Phrases

spicy
양념 맛이 강한

take a look at
~을 보다

accident
사고

semester
학기

03 They have seen the program about the accident, don't they / haven't they ?

04 Jane didn't have much money for this semester, did she / didn't she ?

05 Open the door and clean the room, do you / will you ?

06 Your children can play the piano and the guitar, can they / can't they ?

끊어 읽으면 답이 보인다!

[01 – 06] 빈칸에 알맞은 말을 넣으시오.

01

─ be동사 과거+긍정형 → be동사 과거+부정형 ─

Mrs. Brown was surprised / by the news, / _____ ?

브라운 여사는 놀랐다 / 그 소식에 / 그렇지 않니?

해석 브라운 여사는 그 소식에 놀랐어, 그렇지 않니?

해설 주절의 동사가 be동사의 과거 긍정형이므로 부가의문문은 be동사의 과거 부정형이어야 하기에 wasn't she가 적절하다.

02

─ 권유문의 부가의문문 ─

Let's take a look at / the window again, / _____ ?

보세요 / 창문을 다시 / 그래 볼래요?

해석 창문을 다시 보세요. 그래 볼래요?

해설 Let 권유문의 부가의문문은 shall we를 사용한다.

03

─ 완료조동사(긍정)의 부가의문문 → 완료조동사(부정) ─

They have seen the program / about the accident, / _____ ?

그들은 프로그램을 봤다 / 그 사고에 대한 / 그렇지 않니?

해석 그들은 그 사고에 대한 프로그램을 봤어, 그렇지 않니?

해설 완료조동사의 긍정문에 대한 부가의문문은 완료조동사 have의 부정형을 사용하기에 haven't they가 적절하다.

04

─ 일반동사(부정)의 부가의문문 ─ ─ do동사(긍정) ─

Jane didn't have much money / for this semester, / _____ ?

제인은 많은 돈이 없었다 / 이번 학기를 위한 / 그렇지?

해석 제인은 이번 학기를 위한 많은 돈이 많지 않았어, 그렇지?

해설 일반동사의 부정형(didn't have)이므로 부가의문문은 do동사의 긍정형(did)을 사용하기에 did she가 적절하다.

05

─ 명령문의 부가의문문 → will you? ─

Open the door / and clean the room, / _____ ?

문을 열고 / 방을 청소해라 / 그럴래?

해석 문을 열고, 방을 청소해라. 그럴래?

해설 명령문의 부가의문문은 will you를 사용한다.

06

─ 조동사(긍정)의 부가의문문 → 조동사(부정) ─

Your children can play / the piano and the guitar, / _____ ?

당신의 아이들은 연주할 수 있다 / 피아노와 기타를 / 그렇지 않나요

해석 당신의 아이들은 피아노와 기타를 연주할 수 있어요. 그렇지 않나요?

해설 조동사의 긍정형(can)이므로 부가의문문은 조동사의 부정형(can't)을 사용하기에 can't they가 적절하다.

[01–10] 다음 중 알맞은 것을 고르시오.

01   Do you know [who the gentleman is / who is the gentleman] ?

02   We looked for the kitty but couldn't find it [anywhere / nowhere] .

03   Susan is pretty and cute, [is she / isn't she] ?

04   I asked a clerk [where they had / where did they have] books about computers.

05   Tommy and Emily were not at the airport, [were / weren't] they?

06   Leah couldn't see [anything / nothing] at all of their shape or size.

07   Do you know how [Anna could finish / could Anna finish] the work despite the accident?

08   Your children went swimming at the water park yesterday, [did they / didn't they] ?

09   Jack asked a class of 106 students to write down exactly [where they had been / where had they been] .

10   The doctor [can / can't] hardly give the correct and accurate answers.

p.35

[01-10] 다음 중 알맞은 것을 고르시오.

01 Before picking out a souvenir to take home, consider / considering how it was made and where it came from.

02 Playing helps children to solve problems, get along with other people, and control / controls their bodies.

03 People acquire a sense of who are they / who they are by weighing themselves against those around them.

04 Seldom the TV program leaves / does the TV program leave me wanting to imitate one of many scenes.

05 Don't condemn others, and / or God will not condemn you.

06 So successful was / were their projects that they could get some incentives.

07 Consumers can collect additional information by conducting online research, reading news articles, talking to friends or consult / consulting an expert.

08 Only after the phone rang I realized / did I realize I had forgotten to turn off the radio.

09 Not only Jack started / did Jack start to compose music, but also he started to play the piano.

10 When speaking to someone at a meeting or party, give / giving that person your undivided attention.